Scrittori italiani e

Pietro Grossi

L'uomo nell'armadio

E ALTRI DUE RACCONTI CHE NON CAPISCO

MONDADORI

Dello stesso autore in edizione Mondadori
Incanto

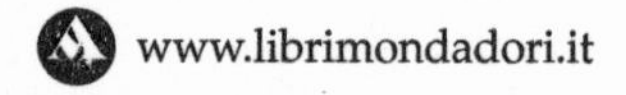

L'uomo nell'armadio
di Pietro Grossi
Collezione Scrittori italiani e stranieri

ISBN 978-88-04-65049-2

I edizione maggio 2015

L'uomo nell'armadio
e altri due racconti che non capisco

Lo sgabello

«Mah.»

Sollevò il piattino di carta dalla superficie di vetro del banco e si voltò verso i tavoli.

Il ragazzo che era con lui, sulla trentina, con un paio di occhiali dalla spessa montatura nera, posò la borsa accanto a uno degli alti banchi di formica e scivolò a sedere.

«Non sarai mica uno di quei pacchi radical-chic che sostengono che meno buona è, meglio è» disse. Doveva avere la stessa età dell'amico, ma sembrava più giovane. I capelli biondi erano leggermente sgarrupati e una camicia azzurra gli colava fuori dai pantaloni. Si fermò mentre era già mezzo a sedere e ridiscese. «Ma da che parte ci si siede su questo coso?»

L'altro guardò in basso. La seduta dello sgabello era una semplice striscia quadrata di compensato chiaro, concava al centro e piegata in basso su due lati. Aveva lasciato i lati ricurvi sui fianchi, sfruttando la zona concava.

«Boh, io mi sono messo così.»

Il biondo ruotò la seduta avanti e indietro, poi la mise nella posizione dell'amico e ci scivolò anche lui sopra. Una volta sistemato si osservò i fianchi e scodinzolò un momento, come per capire se fosse comodo o meno.

«Boh» disse rialzando lo sguardo. «Comunque ci sarai tu radical-chic.»

«Lo sai che ho ragione» ribatté l'amico affondando la forchetta nella sua pizza. «Sarebbe come dire che la pommarola viene meglio con dei pomodori scadenti.»

«È diverso.»

«E in che modo?»

«La pommarola *è* pomodoro.»

«Sei ingenuo.»

Il biondo prese un morso dalla sua fetta e alzò un sopracciglio.

«Parti dell'assunto clamorosamente sbagliato che la pizza è una combinazione semplice ma delicata. Mi viene da dire che ti sfugge completamente la sua essenza fondamentale, che è proprio il contrario» disse l'amico mentre sollevava ciò che restava del suo trancio.

«E sarebbe?»

«La sua straordinaria versatilità.»

«Come?»

L'amico ingoiò il boccone.

«Ver-sa-ti-li-tà. Non è una combinazione semplice ma delicata, è una combinazione semplice e resistentissima.»

«Mah.»

«Ma come mah!? Lo stai dimostrando in questo momento.»

Il biondo guardò l'altro con aria interrogativa e si prese un sorso di coca dal bicchiere. La lontana voce femminile di un megafono annunciò un volo e invitò i passeggeri a procedere verso l'imbarco.

«Era il nostro?» domandò il biondo.

L'altro scosse la testa.

«Noi tra quanto ci imbarchiamo?»

L'amico allungò il braccio sinistro e guardò l'orologio.

«Mezz'oretta.»

Il biondo staccò un altro pezzo di pizza e se lo cacciò in bocca.

«Insomma?» biascicò.

«Insomma, il semplice fatto che tu mi parli gustandoti quella fetta di pizza dimostra la sua versatilità e resistenza.»

«Ora, *gustando...*»

«Vabbè, diciamo apprezzando... ti piace o no?»
«Ora, *piacere...*»
«Diosanto. La mangi volentieri o no?»
«Avevo molta fame.»
«Dimmi una cosa che detesti.»
«Le alici.»
«Le alici?»
«Eh.»
«Ma come fai a detestare le alici?»
«Che ne so, non mi piacciono e basta.»
«Vabbè, lo troveresti buono un piatto di alici se avessi fame?»
«Boh, dipende dalla fame.»
«Una fame come quella che avevi ora.»
«No, direi di no.»
«Vedi?»
«Vedi che?»
«Hai già risposto.»
Il biondo guardò l'amico con aria annoiata.
«Ma risposto a che?»
«Se stavi o meno mangiando volentieri questo pezzo di pizza.»
«E quindi?»
«Quindi è la dimostrazione che il grande mistero della pizza non risiede nell'ideale della ricetta perfetta su cui tutti dibattono, ma nel fatto che chiunque l'abbia inventata ha trovato una combinazione di ingredienti talmente potente da poterla miscelare in quasi ogni combinazione e cavarne sempre qualcosa di gustoso. La pizza è un'equazione stabile.»
«Resta il fatto che la mozzarella di bufala non ci va.»
«Ma come!»
«È così e basta.»
«Forse non capisci: ho appena dimostrato che gli ingredienti fondamentali della pizza possono essere mescolati in ogni maniera e il risultato è quasi sempre gradevole.»
«Vabbè. E quindi?»

«E quindi la mozzarella di bufala sulla pizza puoi più che legittimamente affermare che non piace *a te*, ma non hai basi per sostenere che *in assoluto* è un ingrediente sbagliato e che chiunque affermi il contrario è in errore.»

Il biondo si prese un istante, masticò un altro boccone di pizza e buttò giù un sorso dal suo bicchiere.

«L'acqua» disse infine.

«Come?»

«L'acqua. La mozzarella di bufala fa acqua.»

«E allora?»

«La pizza non deve essere bagnata» disse il biondo, guardando da una parte e allentando il tono di voce, come sovrappensiero. Restò imbambolato e aggrottò la fronte. «Scusa un momento. Lo vedi quello sgabello laggiù?»

L'amico si voltò indietro. In fondo, nell'angolo più esterno della zona ristorante, c'era uno sgabello come quelli su cui stavano loro, la cui seduta girava piuttosto rapidamente.

«Eh.»

«Ma quanto gira?»

L'amico lo osservò qualche secondo, poi alzò le spalle, si voltò di nuovo verso il suo piatto, raccolse il poco che rimaneva del trancio di pizza e ci affondò i denti.

«Quindi?» biascicò.

Il biondo gli diede un'occhiata e lentamente, continuando a gettare sguardi verso lo sgabello, tagliò via uno degli ultimi pezzi della sua fetta.

«Quindi che?»

«Questa storia dell'acqua.»

«Non c'è nessuna storia. L'acqua nella pizza non ci deve essere. Fine della storia. La mozzarella di bufala fa acqua.»

«E se a qualcuno l'acqua piacesse?»

«C'è anche a chi piace Gigi D'Alessio.»

«Ma cosa c'entra Gigi D'Alessio con la mozzarella di bufala? Tiri sempre fuori dei paragoni inutili.»

Il biondo piegò la testa da una parte e continuò a fissare lo sgabello.

«Non si ferma» sussurrò tra sé e sé.

L'altro si pulì lentamente la bocca e si voltò anche lui. In un primo momento volse solo la testa, quasi con stizza, innervosito dal fatto che quello stupido sgabello continuasse a interrompere la loro conversazione, poi si girò del tutto e prese a fissare con più attenzione. Doveva fare a occhio e croce sui tre o quattro giri al secondo, e in effetti, osservandolo meglio e più a lungo, non sembrava accennare alcun rallentamento.

I due restarono così, fermi, nell'attesa che lo sgabello rallentasse o si fermasse e potessero tornare ai loro discorsi e alla loro vita, ma non accadde. Dopo un paio di minuti, come riprendendosi da una brevissima ipnosi, allontanarono lo sguardo dallo sgabello e si gettarono un'occhiata. Abbassarono appena i lati della bocca senza dirsi nulla, poi il ragazzo con gli occhiali si alzò in piedi, afferrò un angolo della sua seduta in legno e gli diede un forte colpo. Il biondo appoggiò gli avambracci sul piano del banco e si sporse in avanti per vedere meglio. La seduta girava in effetti con grande facilità e per un attimo, proprio mentre prendeva più o meno la velocità dell'altro, sembrò assestarsi e potersi non fermare più.

Eppure fu solo una breve impressione, e i due amici furono subito consapevoli che la seduta si sarebbe fermata. Attesero comunque fino a quando non fu completamente immobile, quindi si gettarono un'altra occhiata e tornarono a guardare lo sgabello nell'angolo. Era sempre lì che girava, apparentemente alla stessa velocità.

Dall'altra parte, oltre il viavai di persone, su uno dei divanetti che davano le spalle agli imbarchi, era seduta una giovane ragazza mulatta, con indosso un maglione colorato e scarpe da montagna ai piedi. Aveva le cuffie negli orecchi e le braccia allargate sullo schienale del divanetto. Le cadde per caso l'occhio su due uomini in fondo alla zona ristorante, rapiti da un punto lontano verso di lei. Seguì il loro sguardo, e mentre le passava negli orecchi il riff di una canzone che aveva sempre amato molto e le veniva da tamburellare con le dita sullo schienale del divanetto, prese anche lei a fissare sovrappensiero quel punto poco distante. Dopo appena un minuto o giù di lì, all'improvviso una sinapsi ricollegò la vista al cervello e fu d'un tratto consapevole di cosa stesse osservando: la seduta in movimento di uno sgabello. Si limitò a considerare che era un movimento molto fluido, né troppo veloce né troppo lento, e che pareva sospinto da una forza sconosciuta. Se qualcuno le avesse domandato cos'era che guardava, avrebbe risposto esattamente questo: la seduta di uno sgabello che girava. Ma era come un'immagine ritagliata dal mondo circostante e completamente libera da tutti i suoi consueti riferimenti. Improvvisamente invece quei riferimenti riapparvero: riapparvero le persone, gli altoparlanti, i tavolini e i banconi e le vetrine del bar e della pizzeria, i divanetti e la gente in attesa o di fretta con le borse appese alle spalle e la consapevolezza – oltre che di trovarsi nel terminal di un aeroporto internazionale – che ciò che stava osservando rompeva ogni regola fisica di cui fosse a conoscenza.

La ragazza sentì il cuore accelerare e le venne istintivo di levare le braccia dallo schienale del divanetto, tirarsi in avanti e appoggiare i gomiti sulle ginocchia. Dopo qualche istante tolse le cuffie dagli orecchi, mentre una parte nascosta di lei sentiva il sottile ma innegabile desiderio di togliersi anche tutto il resto – abiti, bracciali, fermagli – fino a restare completamente nuda. Le stava venendo il forte dubbio che fosse solo lei a vedere quello sgabello che girava, che fosse un cortocircuito del suo cervello e che stesse infine impazzendo. Lo sapeva che prima o poi quella manciata di acidi che si era presa da giovane sarebbero tornati a bussare alla sua porta. Si guardò intorno e le cascò ancora l'occhio sui due uomini al bancone in fondo all'area ristorante, entrambi in piedi e anche loro con lo sguardo fisso sullo sgabello. Fu una vista molto rassicurante: la presenza di quei due uomini, i quali – ricordò – le avevano indirizzato lo sguardo verso lo sgabello e si erano quindi resi conto della straordinaria anomalia prima di lei, la confortava immensamente e, calmandosi, si domandò d'un tratto se non si trovasse di fronte a un evento davvero eccezionale.

Proprio in quel momento, a pochi passi da lei, un signore giapponese e sua moglie si fermarono in mezzo al passaggio tra i divanetti e la zona ristorante e presero anche loro a fissare la seduta che girava. La signora portava al collo un grande e variopinto foulard e teneva il marito a braccetto. Si portarono a una manciata di passi dallo sgabello e dopo averlo osservato per qualche secondo esclamarono qualcosa nella loro lingua e si guardarono sorridendo. La ragazza mulatta non poté fare a meno di notare che quando i loro occhi si erano di nuovo posati sulla seduta erano stati come attratti da un magnete. Anche lei, ogni volta che staccava lo sguardo dallo sgabello, doveva fare un piccolo sforzo, come se la vista volesse restarvi appiccicata. Il signore giapponese diede un'occhiata alla ragazza, sorrise e alzò le spalle, poi lasciò il braccio della moglie e si avvicinò allo sgabello. Guardò la seduta girevole per qualche secondo, provò ad avvicinarci una mano, fino a toccare uno degli angoli che giravano: la sua mano fu colpita e sbattuta via e il signore giapponese la ritirò di scatto, massaggiandola. Gli scappò da ridere e, giratosi verso la moglie, disse ancora qualcosa nella sua lingua. Si piegò dunque in avanti e guardò la seduta dal basso. Allungò la mano e afferrò il piedistallo spostandolo di qualche centimetro. Esclamò di nuovo qualcosa. La ragazza non era del tutto convinta del perché, ma, ogni volta che il signore giapponese toccava lo sgabello, lei sentiva come una leggera scossa elettrica, un flebile allarme nervoso a indicare che non era cosa da farsi.

In quel momento, mentre il signore giapponese si era accucciato in terra e continuava a osservare lo sgabello da vicino, un ragazzo alto e abbronzato con indosso un vecchio giaccone passò di lì osservando incuriosito il signore giapponese accucciato e lo sgabello. Continuò a camminare per qualche passo, fino a superare signore e sgabello ma sempre osservandoli, quindi si fermò e restò lì a guardare mezzo di spalle.

Dall'altra parte dello sgabello, direttamente dalla zona ristorante, arrivarono anche i due amici che per primi lo avevano notato. Il biondo non poté evitare di scambiare uno sguardo con la ragazza mulatta. Si sorrisero e si salutarono con un cenno della testa, come se si conoscessero. Il signore giapponese, pur restando accucciato in terra, alzò gli occhi verso i due amici e sorrise anche lui.

«No stop» disse indicando con il mento lo sgabello.

«Yes» rispose l'altro dei due amici accennando anche lui un sorriso, «no stop.»

Non era per niente convinta di aver fatto l'acquisto giusto. Già prima di aver finito, le pareva che quel tono di colore le ingrossasse le mani. Soffiò qualche istante sulle quattro dita già colorate della mano sinistra, le guardò un altro paio di secondi muovendo la testa da una parte all'altra, sbuffò e avvicinò il pennellino all'unghia del pollice. Ci passò sopra con grande cautela, dispiaciuta di non aver trovato il tempo di prendere uno dei suoi bastoncini di bosso e spingere in alto le cuticole. Midnight blue. Ma cosa le era venuto in mente? Cos'era quell'improvviso spirito rivoluzionario che l'aveva allontanata dai suoi beneamati colori caldi? Erano forse le prime avvisaglie dell'apparentemente lontana crisi di mezz'età e del panico da nubilato? Avvitò il pennellino alla boccetta e, appoggiati i gomiti sulla scrivania, stese le braccia davanti a sé aprendo bene le dita. Sì, le ingrossava decisamente le mani. Doveva assolutamente correre nella prima profumeria che trovava e comprare dell'acetone e togliersi quel ridicolo colore dalle unghie. Entro pranzo doveva però anche finire il pezzo sul tassista rapinato. Se si sbrigava ce la poteva fare: mezz'ora per uscire e comprare l'acetone e un'ora per il pezzo. Non sarebbe mai riuscita a comprare l'acetone e togliersi lo smalto in mezz'ora, doveva essere onesta. Tre quarti d'ora. In tre quarti d'ora era senz'altro possibile. E se ordinava un panino senza uscire avrebbe potuto far trovare il pezzo sul tavolo del direttore quando tornava dal pranzo. Stava già raccogliendo chiavi e sciarpa quando squillò il telefono. Si domandò per un attimo se fosse il caso di rispondere.

«Sì?»

«Devi andare all'aeroporto.»

«Quando?»

«Adesso.»

«Ma devo finire il pezzo sul tassista e...»

«Lascia perdere il tassista. È arrivata un'agenzia, sta succedendo qualcosa all'aeroporto. Devi andarci subito, abbiamo un aggancio con il tipo delle comunicazioni ma dice che dobbiamo correre perché ha pochissimo tempo e potrebbero decidere di chiudere tutto. Segnati questo numero.»

«Ma...»

«Nessun ma, segnati questo numero.»

Lei si lasciò ricadere sulla sedia mollando chiavi e sciarpa sulla scrivania, prese uno dei suoi post-it viola e una penna e trascrisse lentamente e malvolentieri il numero, senza riuscire a staccare gli occhi dall'orrendo colore delle sue unghie.

«Chiamalo quando sei alle partenze del terminal 1. Prendi un taxi che fai prima. E vieni subito a riferirmi appena torni: voglio il pezzo per le sette.»

E attaccò. Restò qualche istante con il palmo sulla cornetta, stese le dita, si osservò di nuovo la mano e imprecò.

A giudicare dalla grande sala d'ingresso del terminal, sembrava tutto normale. Sui monitor, a parte un paio di consueti ritardi, non c'era traccia di particolari anomalie. I check-in sembravano funzionare come sempre e in qua e in là vagavano le solite persone che si incontrano in qualunque aeroporto: le loro valigie a traino e le loro sacche e i loro carrelli e i loro sguardi persi alla ricerca della giusta direzione. Stava quasi per domandare a una delle ragazze del banco informazioni se aveva notizia di qualcosa, quando sentì fare il suo nome. In piedi alla sua destra, con un leggero sorriso a filo delle labbra, stava un uomo a occhio e croce della sua stessa età, scuro di capelli, olivastro di pelle e – non che ci volesse molto – appena più basso di lei. Si strinsero la mano e si presentarono, quindi lui la invitò a seguirlo e si diressero verso il controllo sicurezza.

«Ha fatto presto» le disse anticipandola di appena mezzo passo ed evitando con un colpo d'anca la grande valigia di una famiglia di tedeschi.

«Sì, sono corsa subito.»

«Ha fatto bene. Ero contento di darvi la precedenza, ma qui tra poco non lo so cosa succederà, potrebbe diventare un gran casino.»

Girarono intorno al serpentone della fila e andarono direttamente ai controlli.

«Siamo insieme» disse il ragazzo facendo passare anche lei.

Una volta dall'altra parte, imboccarono subito verso sinistra. Lui camminava sicuro e spedito e lei non poté fare a meno di trovare affascinante che quel suo coetaneo si muovesse con tanta confidenza in un luogo così vasto e complesso. Anche misterioso, a pensarci bene. Gli aeroporti erano luoghi dove non riusciva mai ad abbandonarla la sensazione di ammirarne e viverne solo la crosta più superficiale e meno interessante. Oltre agli aeroporti, solo la nave da crociera – dove era stata costretta da una sua amica ad andare due anni prima – le aveva dato quella stessa frustrante sensazione di marginalità e quella incontenibile vertigine di curiosità per cosa si nascondesse dietro le quinte. Sulla nave la curiosità l'aveva spinta fino a intrufolarsi due o tre volte nella zona equipaggio. Ogni volta, nell'istante stesso in cui una porta con su scritto "vietato l'ingresso ai non addetti" si chiudeva alle sue spalle, le fragranze e i luccichii e le musichette scomparivano e, per quanto si trovasse affacciata su una qualunque rampa di scale, appariva la vera essenza della nave: vibrazioni, spesse mani di vernice bianca isolante, tubi a vista, lontani rimbombi di motori e sistemi di ventilazione. Qualcuno, presto o tardi, la rimandava sempre nella zona passeggeri. Qualche ora dopo la quarta volta, fu convocata in un piccolo ufficio sul ponte 8. Un tarchiato giovinastro dall'aria viscida e i denti troppo bianchi si era presentato come il responsabile hotel, quindi anche dei passeggeri. Le aveva domandato come stesse procedendo la sua vacanza e se il servizio fosse di suo gradimento.

«Sì, direi di sì, grazie.»

«Mi fa molto piacere. E le attività la divertono?»

«Non che ne faccia molte, ma mi sembrano carine, sì.»

«Molto bene. Mi vorrebbe dunque spiegare la ragione per cui continua a intrufolarsi nelle zone vietate ai passeggeri, signorina?»

«Mi spiace, sono molto distratta.»

«Signorina, la prego di non credermi troppo ingenuo. So chi è e che lavoro fa. Non so che articolo è venuta a scrivere o cosa stia cercando, ma so che non è un articolo autorizzato dalla compagnia e che per questo lei deve attenersi alle regole della nave come ogni altro passeggero. So con assoluta certezza che è già scesa almeno tre volte nella zona equipaggio. Devo solo avvertirla che troviamo la sua presenza a bordo piuttosto scomoda e che a qualunque altra violazione del regolamento saremo molto felici di sbarcarla. Devo anche aggiungere con tutta onestà che non sono luoghi ideali questi dove viaggiare da soli, soprattutto se di sesso femminile. Le auguro dunque il miglior soggiorno possibile sulla nostra nave e confido sinceramente che ci rivedremo il giorno del rientro, per salutarci.»

Sì, anche negli aeroporti provava quella stessa vertigine e quello stesso bruciante desiderio di varcare soglie interdette, e il fatto che quel ragazzo che continuava a precederla di mezzo passo avesse appena superato con un semplice gesto la sicurezza scambiando battute con l'addetto le aveva provocato una leggera ma innegabile scossa erotica.

«La direzione della Società aeroporti sta ancora decidendo il da farsi. È una situazione molto delicata. In un primo momento la direzione ha semplicemente mandato due addetti a rimuovere l'oggetto, ma pare che la gente non li facesse nemmeno avvicinare e si stesse arrivando alle mani. Conosco bene la direttrice, è una persona molto spiccia. È andata lì con altri due addetti alla sicurezza, pronta a mettere le persone al proprio posto e pensarci lei stessa, ma quando è arrivata pare che non ci sia riuscita. Le ho chiesto perché, lei non ha saputo rispondere. "Devi andare a vedere con i tuoi occhi, non te lo posso spiegare" mi ha semplicemente detto.»

Il ragazzo girò intorno a una fila di divani e le gettò una veloce occhiata densa di sottintesi. Lei non aveva la più pallida idea di cosa lui stesse parlando, né tantomeno di cosa potessero significare i sottintesi. Si limitò ad abbozzare un sorriso.

«Capisco» disse.

«In effetti è un evento piuttosto straordinario, vedrà. All'inizio tutti lo trovano ridicolo. Ieri sera sono rimasto fermo almeno una mezz'ora a osservare le reazioni delle persone. Pian piano vengono come rapiti, e restano imbambolati a guardare. Ha qualcosa di ipnotico. Ma non solo. Ha anche qualcosa di... non so come dire... di rassicurante. Quando sei lì ti senti più al sicuro» disse il ragazzo girandosi di nuovo leggermente e facendo un piccolo salto da una parte per evitare un'anziana signora che procedeva nella loro stessa direzione, spingendo lentamente un carrellino. D'un tratto lei non poté fare a meno di notare che *tutti* stavano camminando nella loro stessa direzione, e che alcuni non avevano alcuna borsa e non sembravano affatto in viaggio.

«Ecco, ci siamo» sentì dire al ragazzo mentre si era distratta a osservare un'intera famiglia che camminava tenendosi per mano.

Quando tornò con lo sguardo in avanti stavano piegando a sinistra, verso gli ultimi imbarchi del terminal. Una moltitudine di persone era ammassata intorno all'angolo dell'area ristorante. Qualcuno muoveva la testa per vedere meglio, qualcuno alzava un bambino per fargli superare con lo sguardo il muro di corpi, nelle primissime file sembravano esserci anche persone in ginocchio. Nessuno però produceva il minimo rumore e regnava in tutta la sala un surreale silenzio.

«Venga» le bisbigliò il responsabile delle comunicazioni direttamente all'orecchio, stringendole appena il gomito. «Mi segua.»

Il ragazzo le lasciò il gomito e le strinse appena l'avambraccio, tirandosela dietro mentre, mostrando il tesserino dell'aeroporto, chiedeva silenziosamente permesso e si incuneava nella folla. Si infilò tra i tavoli e gli alti banchi della zona ristorante, dove c'era meno gente, fino ad arrivare più o meno in mezzo alla sala.

«Ecco» disse puntando il mento nella direzione in cui tutti guardavano e non riuscendo a trattenere un sorriso.

Lei superò la grossa testa ricciuta di un signore con la figlia in braccio e si accostò al ragazzo. Là, in mezzo a quel fitto nido di sguardi rapiti e silenziosi, c'era uno sgabello. Era in tutto e per tutto uguale agli altri sgabelli accostati agli alti banchi della zona ristorante, la stessa base in acciaio e la seduta in compensato ondulato. Questa seduta, però, girava vorticosamente, e non pareva avere alcuna intenzione di fermarsi.

«È da ieri che va avanti» disse ancora il ragazzo senza smettere di osservare lo sgabello e sorridere.

Lei pensò che aveva uno sguardo ebete e sentì molto la mancanza di quell'uomo tutto d'un pezzo che appena poco prima aveva superato con tanta familiarità il controllo sicurezza. Davvero il giornale l'aveva mandata fin lì, spezzandole la giornata, solo per vedere un maledetto sgabello? Davvero questo tipo che le stava accanto e tutte le persone lì intorno stavano osservando in religioso silenzio un ridicolo, brutto, pidocchioso sgabello la cui unica attrattiva era una seduta che girava? Ma che c'era di strano? L'uomo era andato sulla luna, aveva scoperto lo spazio-tempo e le sue curvature: che c'era di tanto incredibile in uno sgabello che girava? Era, peraltro, senza dubbio lo scherzo di qualcuno, come la vernice rossa che qualche anno prima era stata versata nella fontana di Trevi. C'era senz'altro un meccanismo, là nello sgabello, e chissà che le persone che avevano impedito di portarlo via non fossero parte dello scherzo. Come se le avesse letto nel pensiero, il responsabile delle comunicazioni le avvicinò leggermente la testa.

«È venuto anche uno degli ingegneri dell'aeroporto con due operai e altri due addetti alla sicurezza. A rischio di far partire una mezza rivolta, hanno preso lo sgabello, lo hanno girato e rigirato, hanno separato i due pezzi del piedistallo e ci hanno guardato bene dentro. Non c'è alcun meccanismo in grado di farlo girare. Ci ho preso un caffè, con l'ingegnere, un paio di ore fa. Gli ho domandato se non fosse il caso di guardare meglio, magari di smontarlo. Mi ha detto che è inutile, che faremmo un casino per niente: ha guardato e tastato bene fin sotto la seduta ed è impossibile non aver visto o sentito un qualunque meccanismo in grado di far roteare la seduta per così tanto tempo con quella costanza.»

Lei guardò per un altro istante il ragazzo e quella sua testa leggermente inclinata per parlarle più da vicino e dare meno fastidio possibile. Improvvisamente le parve meno ridicolo, e quel suo sguardo rapito forse era solo una sfumatura tenera del suo carattere. Tornò a osservare lo sgabello. Era innegabile che girasse con una certa eleganza, e che fosse in qualche modo ipnotico. Era vero: aveva qualcosa di rassicurante. Là fuori c'era il mondo, con tutti i suoi cunicoli e i suoi trabocchetti: ma lui semplicemente girava, indifferente a tutto. E se fosse stato proprio così? Se davvero si trovavano di fronte a un evento senza precedenti? D'altronde, non era nella muffa che l'uomo aveva trovato la penicillina, o in una mela qualunque la formula della gravità? Sì: più osservava quello sgabello e più le pareva che formasse intorno a sé come una bolla protettiva. E più – contro ogni sua previsione – si sentiva vicina alle persone che le stavano attorno.

«Quelli là davanti sono stati i primi a vederlo» le spiegò il responsabile delle comunicazioni.

La giornalista avvicinò la testa a quella di lui e cercò di seguire la linea del suo indice. Poco lontano dallo sgabello, seduti in terra, c'erano un ragazzo biondo con indosso una camicia azzurra e una ragazza mulatta.

«Si sono conosciuti qui e non se ne sono più andati.»

Lei continuò a fissarli. Sembravano molto tranquilli. Avrebbe voluto parlare con loro e sapere cosa li tenesse lì e cosa provavano e come mai non se ne andassero.

«Comunque mi piace molto» bisbigliò il responsabile delle comunicazioni.

«Che cosa?» bisbigliò anche lei.

«Il colore del suo smalto.»

Le luci si abbassarono lentamente nel candido studio televisivo. Sul maxischermo apparve l'immagine dell'aeroporto di M.

Stacco all'interno.

Due signore spingono le loro valigie verso l'ingresso a vetri. All'interno, una fila di monitor indica la lista dei voli in partenza. Nel grande ingresso dell'aeroporto un lento viavai di persone. Due mani ben curate ammazzettano tre carte d'imbarco e i rispettivi passaporti; movimento indietro fino a scoprire il sorriso dell'addetta del check-in mentre allunga passaporti e carte d'imbarco a una famiglia di indiani.

Un barista in casacca e cappellino bianchi appoggia una tazzina sul banco.

«Secondo me, è tutta una gran buffonata» dice nell'obbiettivo passando lo straccio sul bancone. «Ci mancava pure questa, con tutte le preoccupazioni che ho. Ho una bambina con un problema alla gamba e non so come curarla. Ora tutti vanno laggiù a vedere quella pacconata e qui non si ferma più nessuno. Solo per attirare un po' di pubblicità. Ora voglio vedere come pago il mutuo.»

Una lunga fila di transenne chiude tutta un'ala del terminal. Ne sorvegliano l'ingresso quattro addetti alla sicurezza con davanti una gran fila di persone. Uno degli addetti, mentre scruta una coppia che viene lasciata passare:

«È un gran casino. Dobbiamo fare un sacco di straordinari», lascia passare altre due persone. «Se il governo non avesse costretto la Società areoporti a mandare tutta quella gente in cassa integrazione adesso la situazione sarebbe molto più semplice.»

Stacco sul suo collega, che fa passare una coppia con tre bambini piccoli e li guarda procedere verso il fondo del terminal.

«Io mi sento orgoglioso. Anche io ci ho portato tutta la famiglia, è una delle cose più incredibili che abbia mai visto.» Poi saluta la telecamera e sorride.

Dissolvenza sul nero. Suite numero 3 per violoncello di Bach. Assolvenza su lenta carrellata in avanti, verso il fondo del terminal. Ci avviciniamo sempre più verso un uniforme muro umano. Ascesa della telecamera verso l'alto. Migliaia di persone, tutte ordinatamente disposte una accanto all'altra, in cerchio. Famiglie e giovani e anziani e italiani e stranieri e hare krishna e monache e scout e scolaresche e ogni essere umano che possa venire in mente, tutti in cerchio voltati verso il centro. Le serrande dei negozi e dei bar e dei ristoranti tutt'intorno sono abbassate e nell'aria regna un assoluto e improbabile silenzio, rotto solo da un leggerissimo brusio – il naturale suono di vite umane, più che un brusio – e da quello che pare il ritmo regolare e costante di una serie di sfregamenti. Nelle prime file dell'enorme massa, decine di individui continuano ripetutamente a prostrarsi, sdraiandosi fino a terra su delle stuoie. Portano protezioni alle ginocchia e pezzi di legno attaccati alle mani. Davanti a loro, a pochi passi, dietro un ultimo piccolo quadrato di transenne, sta un semplice sgabello, la cui seduta in legno gira vorticosamente. Movimento in avanti fino a superare il quadrato di transenne e camera fissa per almeno mezzo minuto a osservare la seduta dello sgabello che gira.

Dissolvenza su nero e lenta chiusura della musica. Assolvenza su un signore tarchiato in tuta blu da lavoro che spinge in un angolo una lunga fila di cartelli.

«Ditemi voi se ho tempo di pensare a queste stupidaggini. Tanto ho poco da fare, io. Dovrebbe andare a lavorare tutta quella gente là, allora sì che il mondo funzionerebbe.»

Primo piano di un giovane con un bambino biondo in braccio.

«Volevo venire a vedere di che si trattava. E volevo che lo vedesse lui. Non sono cose che capitano tutti i giorni.»

Stacco su una madre con una bambina per mano.

«Non so, non è facile descriverlo. So che mi sento meglio, dopo averlo visto. Lei era stanca dopo tutta quell'attesa e quando finalmente siamo riusciti ad avvicinarci si è messa a piangere e a dire che voleva andare a casa. Appena lo ha visto, però, ha subito smesso di piangere ed è rimasta come incantata.

Vero?» Si abbassa verso la figlia e questa, dopo aver annuito, si gira sorridendo e incastra il volto nelle gambe della madre.

Piano sequenza sull'esterno dell'aeroporto. Banchi pieni di magliette e souvenir, sciarpe e cappellini. Un signore grassoccio e con dei gran baffi neri invita la telecamera ad avvicinarsi.

«A' vuo''a magliett'?» Tira su una t-shirt di cotone blu, con disegnato sopra lo stesso identico modello dello sgabello. «È cotone americano. Morbidissimo. Ce l'abbiamo sia modello uomo che donna. Richiestissima.» Posa la maglietta blu sul banco e ne alza una grigia: c'è ancora disegnato lo sgabello, ma più piccolo, e sotto la scritta DIO C'È. «Bella, eh? O preferisci o' souvenir?» Posa la maglietta e alza la statuina: è l'esatta riproduzione dello sgabello. «Vedi?» dice dando un colpo alla seduta per farla girare. «Gira. Oppure chist', c'a bbatteria.» Posa il modellino dello sgabello e ne prende uno più grande. Lo gira, preme un interruttore sulla base e lo rimette a capo all'insù. La seduta prende a girare vorticosamente. «P'o' presepe» dice il venditore, sorridendo soddisfatto e guardando in macchina.

Lenta dissolvenza su nero.

«Signore e signori, eccoci di nuovo con voi, per parlare, come abbiamo visto, dell'incredibile fenomeno che si sta verificando all'aeroporto di M. Vorrei partire subito con un commento da parte della direttrice della Società aeroporti alle immagini a cui abbiamo appena assistito. Allora, direttrice: evento miracoloso o semplice grattacapo logistico?»

«Guardi, dottore» disse la direttrice della Società aeroporti rivolta al conduttore della trasmissione, «è una domanda difficile a cui rispondere. Diciamo che non sta a me giudicare se sia o meno un evento miracoloso, ma abbiamo capito fin da subito che era comunque un evento straordinario e siamo a quel punto stati costretti a decidere se trattarlo come un semplice grattacapo logistico oppure no.»

«In che senso, mi scusi?»

«Be', nel momento in cui ci siamo resi conto dell'effetto che questo fenomeno aveva sulle persone abbiamo capito che lasciare tutto così com'era avrebbe causato diversi disagi. Credo sia superfluo sottolineare cosa significhi per un aeroporto come il nostro chiudere un'intera sezione delle partenze. Ci sono stati ritardi, problemi, proteste. Stavano anche per esserci disordini.»

«E come mai avete infine deciso comunque di chiudere l'area, renderla accessibile al pubblico e via di seguito?»

«Perché mentre anche io stavo lì a osservare il fenomeno, cercando di capire il da farsi, mi sono detta che non potevo trattare quest'evento come qualcosa di esclusivamente interno all'aeroporto. Non potevo arrogarmi il diritto di privare gli altri della possibilità di assistervi.»

Dal pubblico partì un leggero applauso. Il conduttore si voltò verso l'altra fila di divanetti e fece due passi indietro.

«Allora, presidente: evento nazionale, semplice grattacapo o cos'altro?»

Il presidente del Consiglio, con aria compassata, si aggiustò una piega del pantalone sulla gamba accavallata.

«Ho ascoltato con molto interesse le parole della direttrice, e credo sinceramente che siano rivelatrici. È ancora presto per fare serie ipotesi sul tipo di fenomeno che si sta verificando, e in ogni caso il professor F., qui con noi, potrà senz'altro essere più preciso ed esaustivo di me, al riguardo. Devo però condividere con voi una sensazione molto simile a quella descritta poc'anzi dalla direttrice. Il momento in cui, quattro giorni fa, ho assistito di persona al fenomeno, ho avuto immediatamente la certezza di trovarmi di fronte a un evento straordinario e, soprattutto, che... come dire... citando la direttrice... che apparteneva a tutti. Se non altro a tutti noi italiani. E vi confesso che ho percepito la stessa fascinazione in molti dei capi di governo stranieri che in questi giorni mi hanno contattato. Il Primo ministro francese mi ha anche gentilmente offerto degli aiuti per gestire le problematiche in aeroporto. D'accordo però con il ministro degli Interni e con la qui presente direttrice della Società aeroporti ho deciso di declinare ogni offerta e lasciare a noi e solo a noi la gestione dell'evento. Ritengo che sia un nostro dovere e che questo Paese sia pronto a dare grande prova di sé nella sua gestione.»

Dal pubblico partì questa volta uno scroscio di applausi. Il conduttore si avvicinò di un passo al presidente.

«Si direbbe che ne parla come se fosse un miracolo» sorrise abbassando leggermente il tono di voce, come facendo finta di bisbigliare.

Il presidente si stese di nuovo la piega del pantalone.

«Ho le mie idee in merito» sorrise anche lui. Poi, più serio: «Non credo tuttavia che siano di grande importanza. Ripeto però che sono assolutamente convinto, e con me buona parte della comunità internazionale, che siamo di fronte a un fenomeno unico e straordinario, e che come tale vada trattato».

Il conduttore girò intorno ai divanetti.

«Chiederemo tra un minuto al professore di chiarirci meglio, se può, la natura dell'evento davanti a cui ci troviamo. Vorrei però prima fare una domanda a sua eccellenza.»

Il conduttore si fermò accanto al cardinale, compostamente seduto con le mani incrociate in grembo e la sua croce al collo e il suo zuccotto color porpora e gli occhialini ovali.

«Allora, eccellenza, miracolo o no?»

Il cardinale alzò brevemente gli occhi sul conduttore e affettò un sorriso.

«Caro dottore, lei vorrebbe da me qualche facile dichiarazione su cui fare un po' di chiasso. Sa bene che non l'avrà, come sa altrettanto bene che per la santa Chiesa la parola "miracolo" ha accezioni ben precise che non sta a me valutare in questa sede. Come detto da chi mi ha preceduto, sono però senz'altro convinto che ci troviamo di fronte a un fenomeno eccezionale in cui, come in ogni più piccolo evento della nostra vita, vedo senz'altro la mano di nostro Signore.»

«Ma il santo padre cosa dice?» domandò il conduttore abbassando il tono di voce, come se fossero soli e gli chiedesse una confidenza, gettando però un rapidissimo sguardo ammiccante alla telecamera.

«Sua santità sta seguendo la vicenda con grande interesse.»

Il conduttore indietreggiò, fino a sistemarsi davanti al professore.
«Eppure il santo padre domenica, all'Angelus, parlando soprattutto ai giovani, ha detto di non farsi distrarre da facili rappresentazioni del potere di nostro Signore, e che – cito testualmente – "la vera fede va sempre cercata nel profondo dei nostri cuori". Crede che si riferisse a quello che sta accadendo all'aeroporto di M.?»
«Non è mio compito interpretare le parole del santo padre, ma non me ne vorrà se confesso che guarda con un certo sospetto a tutto il bailamme che si sta creando intorno a quello che per il momento non è che un fenomeno particolarmente bizzarro.»
Il conduttore abbassò quindi lo sguardo sul professore.
«Dunque, professore, davanti a cosa ci troviamo? Ricordo ai telespettatori che il professor F. è stato incaricato di presiedere una commissione di inchiesta scientifica per appurare la natura del singolare fenomeno dell'aeroporto di M. Prego, professore.»
Il professore si sistemò meglio sulla poltrona e con due dita della mano destra incalzò gli occhiali di tartaruga sul naso.
«Devo purtroppo premettere che non sono ancora in grado di dare risposte esaustive. Io, semplicemente, in quanto presidente del CIS, sono stato incaricato di riunire un pool di tecnici che indaghino il fenomeno. È stato deciso di chiudere l'area al pubblico per una mezza giornata in modo da dare agli esperti la calma necessaria per fare i loro test. Questo è avvenuto tre giorni fa e, come dicevo, è presto per dare risposte chiare e certe. Ciò che posso affermare è senz'altro che ci troviamo di fronte a un fenomeno molto particolare. Tentando di non cadere in incomprensibili tecnicismi, è come se si fosse formata nell'oggetto in questione – forse *attraverso* l'oggetto in questione – una particolare turbolenza magnetica, una specie di vortice, in grado di far ruotare l'apice a velocità angolare costante.»
«Sarebbe a dire?»
«Il tempo di rotazione è stato misurato con strumenti di altissima precisione e molto a lungo: gira con impeccabile costanza a una velocità angolare di 3,3 periodico al secondo. La maggiore pe-

culiarità però è questa: con l'ambiente circostante il fenomeno non sembrerebbe avere alcuna interazione. Non voglio diventare troppo tecnico, ma è come se l'oggetto avesse chissà dove immagazzinato energia e riuscisse a convertirla direttamente in energia cinetica.»

«E perdoni la nostra ignoranza, ma in che modo ritenete questo tanto straordinario?»

«Perché, se così fosse, ci troveremmo di fronte a un tipo di energia e, diciamo così, di combustibile, particolarmente efficienti e puliti.»

«Cioè?»

«L'oggetto non sembra rilasciare scorie, e per il momento dobbiamo pensare che l'energia sia stata immagazzinata nei legami dei suoi costituenti: l'abbiamo passato ai raggi X e non abbiamo trovato niente di inusuale.»

«Mi perdoni, professore, faccio un po' fatica a seguirla.»

Il professore sorrise.

«Sì, non è semplice. Diciamo che questo oggetto deve trovare da qualche parte l'energia per ruotare, una specie di carburante. Di solito un carburante viene bruciato, produce calore e questo calore viene trasformato in energia cinetica, producendo a sua volta scorie. In questo caso pare che il sistema salti la fase intermedia dello sviluppo di calore e si trasformi direttamente in energia cinetica. Tra l'altro, come dicevo, abbiamo analizzato l'oggetto ai raggi X e per ora non abbiamo trovato traccia del combustibile stesso.»

Dal pubblico si levò un brusio di stupore.

«E questa sarebbe solo una straordinaria rivelazione scientifica o avrebbe ripercussioni anche sulla nostra vita di tutti i giorni?»

«Vede, dottore, non esiste vera, grande rivelazione scientifica che non abbia una sostanziale ripercussione nella vita di tutti i giorni. Per dirne una, senza la teoria della relatività generale non ci sarebbero i moderni sistemi di posizionamento satellitare.»

«E in che modo quindi, se i test confermassero ciò che ci ha illustrato, questo si ripercuoterebbe sulla nostra vita quotidiana?»

«Be', immaginiamo per un attimo di trovarci davvero di fronte a un sistema molto efficiente che produce energia cinetica senza rilasciare scorie, e immaginiamo di riuscire a replicarlo. Potremmo usare l'energia cinetica per produrre, che so, energia elettrica in grande quantità, e senza alcun effetto sulla nostra atmosfera.»

La sala fu di nuovo attraversata da un'ondata di brusio. Il conduttore aveva abbassato i lati della bocca e, tornando verso il tavolo in testa alle due file di divanetti, si era fermato vicino a un signore di mezz'età ma dall'aria giovanile, con indosso una giacca sportiva e un paio di jeans e un bel ciuffo di capelli brizzolati sulla fronte.

«Niente male, non trova?» gli si rivolse il conduttore.

«Be', molto affascinante, non c'è dubbio.»

«È stato spesso affermato, di recente in particolare, che è come se le sue storie e i suoi personaggi – mi sento di chiamarli la "realtà" dei suoi romanzi – siano costantemente in cerca di universi più ampi, di fenomeni straordinari che però spesso non riescono a trovare. Ascoltando il professore e in generale chi ha parlato finora viene da pensare che all'aeroporto di M. stia accadendo il contrario: che un evento straordinario sia venuto a far visita alla nostra realtà.»

«Mah, dottore, come già detto più che esaustivamente da sua eccellenza e dal professore, è probabilmente presto per attaccare cartellini all'evento e gridare al miracolo. Ciò che tuttavia trovo estremamente interessante è la reazione della gente. Mi è stato chiesto da una rivista con cui collaboro di scrivere un pezzo sull'argomento e ovviamente sono andato sul posto a vedere di cosa si trattava e scambiare due parole con chi si trovava lì. Devo dire che il filmato di poco fa mostrava molto bene i chiaroscuri del fenomeno e le sue problematiche e anche le sue contraddizioni, ma, com'è naturale che sia, non riusciva a rendere l'atmosfera. È bella la carrellata iniziale nel silenzio dell'ala del terminal, ma in video quello è il silenzio di un semplice schermo, non dell'intera ala di un aeroporto internazionale e di una moltitudine di persone. Credo che chi di noi è stato lì lo può confermare: è sbalorditivo.» Il professore e il presidente del Consiglio annuirono concordi. «Forse l'unico luogo, di tutti quelli che ho visitato nella mia vita, in cui ho percepito negli altri e provato io stesso un simile silenzioso trasporto è il Machu Picchu. Soprattutto se si sale all'alba, superato l'ingresso e i tornelli, le rovine del Machu Picchu ti appaiono d'un tratto davanti come uno schiaffo e, per quante foto e filmati e documentari tu possa aver visto, resti impalato e a bocca aperta e con un sorriso ebete sulle labbra. La prima cosa che ti verrebbe da fare appena inizi a riprenderti è abbracciare chiunque ti è vicino. Ecco, questo è il tipo di sentimento che ho sentito intorno a me entrando nel braccio nord del terminal. Non si può tuttavia ignorare il fatto che non mi trovavo in cima a una montagna del Perù e di fronte a una delle più incredibili opere del genere umano, ma nel terminal di un aeroporto e di fronte a un oggetto qualunque. Non ho dunque potuto fare a meno di domandarmi se quell'atmosfera in cui ero immerso non provenisse più dalla *necessità* di trovarsi di fronte a un evento unico e straordinario.»

«Non sono convinto di seguirla del tutto» disse il conduttore.

«Mi sto solo domandando se in questo periodo di grande difficoltà, il semplice evento dell'aeroporto di M. non abbia risvegliato in maniera inattesa ma dirompente nelle persone un senso di grande urgenza per qualcosa di unico e perfetto. O anche solo di qualcosa che funzioni. Qualunque cosa. Sì, la seduta dello sgabello confesso che vortica in modo molto elegante, e mi affascina il moto di rotazione appena descritto dal professore, ma siamo sicuri che quell'aria così intensa che la circonda non provenga più dal raccoglimento delle persone che dal fenomeno stesso?»

«Questo renderebbe ogni persona immersa in quell'aria un possibile protagonista di un suo romanzo» sorrise il conduttore.

«Guardi, le confesso che questo rapporto frustrato di molti dei miei personaggi con... come chiamarli?... delle forme, diciamo, di assoluto è stato notato prima dalla critica che da me stesso. Quando ne ho letto però l'ho riconosciuto. Se questo è vero, diciamo che la sostanziale differenza tra chi si trova nel terminal dell'aeroporto e i miei personaggi è che i primi sembrerebbero aver trovato cosa stanno cercando, qualunque cosa sia.»

Il conduttore annuì, si voltò verso l'altra fila di divanetti e si avvicinò all'ultimo ospite della trasmissione, una signora dai capelli grigi con indosso un maglioncino marrone e degli occhiali dalla montatura dorata.

«Dunque, signor segretario, lei ieri, in un'intervista su R., è stata molto dura con la gestione dell'evento dell'aeroporto e in generale con l'azione di governo, di cui questo, secondo le sue parole, non è che l'ennesimo esempio di fragilità.»

«Sì, caro dottore, ammetto che non riesco a condividere l'entusiasmo degli altri suoi ospiti. Il nostro amico scrittore parla di aria intensa e necessità, ma mi viene il sospetto che là in quell'ala del terminal debbano forse semplicemente aprire qualche finestra e far entrare un po' di ossigeno, perché sono convinta che questo Paese e l'aeroporto di M. abbiano ben altre *necessità* che di stare a guardare uno sgabello che gira. Gran parte degli aeroportuali che io rappresento sono sottopagati, molti cassaintegrati, che adesso si trovano a ricoprire mansioni che non gli competono, fuori da ogni logica di sicurezza, e costretti a straordinari che probabilmente non gli verranno retribuiti. Tutto soltanto per attirare persone e distrarre i media dalla cattiva gestione di un aeroporto a rischio di fallimento.»

Il conduttore alzò le sopracciglia e si rivolse alla direttrice della Società aeroporti.

«Parole molto dure, signora direttrice.»

«Un po' troppo, sinceramente. E che ovviamente non condivido. A partire dalla situazione fallimentare. Il segretario qui presente ha evidentemente a portata di mano informazioni che noi non abbiamo. Vorrei sapere da dove ha evinto che l'aeroporto di M. è a rischio di fallimento.»

«Dai bilanci, signora direttrice» rispose secca il segretario girando la testa ma fissando il vuoto. «Forse non l'hanno informata, ma sono pubblici, e da cinque anni in perdita.»

La direttrice abbozzò uno sbuffo di risata.

«Caro segretario, per come sta andando l'economia mondiale, se dovessero dichiararsi fallimentari tutte le aziende che sono in negativo di bilancio da cinque anni, il mondo sarebbe semplicemente da buttare.»

«Be', forse dalle vetrate del suo attico c'è per fortuna un altro panorama, ma le voglio svelare un segreto: il mondo, quello vero, *è* da buttare.»

Il conduttore girò intorno ai divanetti e si avvicinò al presidente del Consiglio.

«Presidente, è davvero da buttare questo mondo?»

«Mi scusi, dottore» alzò la mano la direttrice della Società aeroporti, «vorrei però finire di controbattere al segretario.»

«Prego, ci mancherebbe.»

«Be', per esempio sul discorso degli straordinari. Il segretario continua a battere su quello che non è stato altro che un errore amministrativo, di cui ci siamo più volte scusati e che stiamo risolvendo.»

«Un errore come un altro: non liquidare sei mesi di straordinari ai dipendenti.»

«Capisco che lei non conosca errori, signor segretario, ma sa, quaggiù, in quello che lei chiama "il mondo vero", accadono.»

«Sì, e chissà perché accadono proprio nell'anno in cui il negativo di bilancio è più profondo... Ma poi, cosa c'è da risolvere? Avete fatto un errore? Lo avete riconosciuto e ammesso? Cacciate 'sti soldi e facciamola finita.

«Ammetto, direttrice, che il segretario non sembra avere tutti i torti» disse il conduttore.

«Ma lo so benissimo. D'altronde sappiamo anche che le aziende non sono degli sportelli del bancomat e che ci sono delle sottili difficoltà amministrative su cui si sta lavorando e che ho già garantito e promesso che verranno risolte a breve.»

«E gli straordinari a cui sono sottoposti i dipendenti adesso?» domandò il conduttore.

«Gli straordinari a cui sono sottoposti i dipendenti adesso verranno trattati e liquidati come normali straordinari, che problema c'è?»

«Per esempio» riprese il segretario, «c'è il problema che i lavoratori sono sottoposti a mansioni che non competono loro. E, tra l'altro, risolto il problema degli straordinari, qualcuno poteva anche essere sollevato dalla cassa integrazione.»

La direttrice osservò per un paio di secondi il conduttore con aria sorpresa e sconfortata.

«Perdonatemi, ma non capisco: ci siamo resi conto o no che siamo di fronte a un evento senza precedenti? Ci siamo trovati, e ci troviamo tutt'ora, a gestire un'emergenza. Il fenomeno è cominciato senza alcun preavviso ed è fuori da ogni logica di un terminal aeroportuale. Gli impiegati e gli operai sono stati sottoposti a mansioni che non competono loro perché questo è un evento che non compete un aeroporto. E riguardo i cassaintegrati, se il segretario possiede una palla di vetro in grado di dirmi con certezza che questa situazione andrà avanti per almeno qualche mese, sono ben contenta di togliere più lavoratori possibili dalla cassa integrazione. In caso contrario, perdonatemi di nuovo, ma queste sono tutte belle idee di chi osserva le cose dall'esterno continuando a dimenticarsi, ripeto, che, per quanto affascinante, riguardo alla gestione dell'aeroporto siamo semplicemente di fronte a una completa emergenza.»

«Sì, uno sgabello» disse il segretario.

«E che ci dobbiamo fare se è uno sgabello?»

«Ma portatelo via, quel dannato sgabello!» alzò la voce il segretario sollevando pure la mano, come per mandare tutti a quel paese.

«Prego» disse la direttrice. «Ci provi lei. Le do anche la disponibilità di un gruppo di suoi lavoratori a darle una mano: vada là e provi a portare via lo sgabello.»

«Lo farebbe davvero?» sorrise il conduttore.

«Guardi, dottore, ripeto, l'evento è affascinante, ma per noi è davvero solamente un immenso grattacapo. Il fatto è che il segretario manco c'è stato lì. Non lo sa cosa sta succedendo. Lo vede in tivù, lo sente attraverso le lamentele dei suoi lavoratori. Ma è come ha detto il nostro amico scrittore: non capisci che cos'è finché non ci vai.»

Il conduttore tornò finalmente dal presidente del Consiglio.

«Quindi, presidente: è davvero il bisogno delle persone di dimenticare un mondo da buttare?»

Il presidente si prese una lunga pausa e fece un profondo respiro stirando i contorni della bocca e mettendosi meglio a sedere sulla sua poltroncina.

«La riflessione del nostro amico scrittore mi pare molto sottile e forse andrebbe discussa maggiormente. È innegabile che serpeggi ormai da molto tempo un profondo malcontento. Come potrebbe peraltro essere diverso? Tutti subiscono ogni giorno il peso di un Paese in gravissima difficoltà, e senza dubbio alcuni dei cittadini che ne soffrono di più sono quelli rappresentati dal segretario. Detto questo, sono ben lontano dal credere che il mondo, o anche solo la nostra nazione, sia da buttare. Veniamo da un decennio di rapidissima e profondissima rivoluzione storica, a cui, per sua natura e – lo devo dire – per non grandissima lungimiranza dei governi che l'hanno assistito, il nostro Paese si sta adattando con più difficoltà di altri. Va anche sottolineato che quella sua stessa natura gli ha permesso, per certi aspetti, di subire meno la voragine in cui è sprofondato il mondo occidentale. Penso per esempio alle nostre banche e ai risparmi dei nostri cittadini. Non voglio qui sbandierare del facile ottimismo, conosco meglio di chiunque altro lo stato in cui versa la nostra amministrazione. Non sono stato chiamato a presiedere il governo per portare avanti un programma politico, sono stato convocato per trovare una cura.»

«Peccato che la malattia e la cura, la *purga* dovrei dire, abbiano come sempre colpito i soliti» lo interruppe il segretario.

Il presidente si fermò, chiaramente infastidito.

«Trovo questo quantomeno ingeneroso» riprese con calma.

«Sarà anche ingeneroso, ma intanto, invece di andare a trovare il denaro da chi ne ha in esubero, siete andati a raccattarlo a tappeto da tutti senza misure di proporzione. Chi credevate che ne sarebbe uscito peggio? Perché invece di fare una vera patrimoniale avete deciso di alzare le accise sui carburanti? Cosa gli racconta a chi deve andare al lavoro in macchina?»

Oggi la maestra Paola ci ha portati tutti all'aeroporto di M. Insieme a noi sono venute anche le mamme di Marco e di Hamal. La mamma di Hamal porta sempre un velo in testa e la mia mamma dice che è perché è di un'altra religione. Il babbo non voleva farmi andare all'aeroporto. Quando la mamma gli ha detto che ci saremmo andati, lui si è arrabbiato e ha detto che era una cosa stupida e che io non ci dovevo andare. La mamma gli ha detto di stare calmo e che ci dovevo andare perché ci andavano tutti e sarei stata l'unica. Il babbo ha sbattuto sul piatto una cucchiaiata di purè e un po' è schizzato sulla tovaglia. Io ho chiesto alla mamma se poteva colorare il purè con i colori delle torte ma lei mi ha detto di no. Mi è dispiaciuto molto perché secondo me il purè è più buono quando è colorato. La mamma dice che il sapore è lo stesso ma secondo me non è vero. Il babbo scuoteva la testa e brontolava per questa storia della gita all'aeroporto. Io gli ho chiesto perché non voleva che ci andavo e lui mi ha guardato arrabbiato e mi ha detto che nel mondo ci sono cose più serie da fare e che non paga la scuola per queste stupidaggini. Io allora ho chiesto quali stupidaggini e il babbo e la mamma mi hanno detto che all'aeroporto c'era uno sgabello che girava e che non la smetteva più e che quindi tutti pensavano che era una cosa molto strana e andava a vederlo un sacco di gente. Io non capivo bene e gli ho chiesto cos'era uno sgabello e loro mi hanno spiegato che era una cosa come quella che abbiamo in cucina, ma più grande e di legno. Io non lo sapevo se era una cosa stupida o no però mi è venuta la curiosità e ho chiesto al babbo se mi faceva andare. Lui sem-

brava sempre arrabbiato ma ha detto "certo, ti faccio andare, ma è sempre una cosa stupida". Io non lo so se è una cosa stupida, però a me la gita all'aeroporto mi è piaciuta molto.

Il bus era uguale a quelli che si vedono qualche volta davanti a casa e mi sono molto divertita perché non ci ero mai stata sopra. Era molto grande. Anche l'aeroporto era molto grande. Ho visto anche due aerei. Anche quelli erano molto grandi. Volevo salirci sopra ma mi hanno detto che non si poteva. Ho chiesto allora che ci stavano a fare e la maestra Paola si è messa a ridere e mi ha spettinato i capelli. Non mi piace quando i grandi mi spettinano i capelli, tra loro non lo fanno mai, perché lo fanno con noi? Una sera a cena ho spettinato i capelli a un amico del babbo che lo fa sempre a me, ma il babbo mi ha sgridato e mi ha detto di andare via.

Quando siamo arrivati davanti all'aeroporto la maestra Paola ci ha fatti mettere in fila per due e ci ha detto di tenerci per mano. Io mi sono ritrovata accanto a Giovanni. Giovanni ha le mani molto grandi e sa fare i rutti apposta e a noi bambine ci alza sempre il grembiule per scherzo. La maestra Paola gridava molto e sembrava molto preoccupata. Continuava a dire "non perdetevi, non perdetevi". Ci faceva camminare e continuava a girarsi per guardarci.

Siamo arrivati in un punto con un signore vestito da poliziotto che ci ha guardati tutti e ci ha fatti passare. Insieme a noi è venuto un altro signore con in mano una radio come quelle che si vedono alla televisione. Aveva la pelle un po' scura, e i denti molto bianchi. Ci hanno portati tutti in una stanza molto grande. La stanza più grande che abbia mai visto. E c'era un sacco di gente. Tantissima gente che stava lì in piedi, zitta, e guardava verso un punto. Il signore con la radio ci ha fatti passare in mezzo alla gente. C'erano un sacco di persone diverse, vestite di un sacco di colori diversi. Dei buffi signori erano vestiti di arancione e avevano solo un ciuffo di capelli sul dietro della testa. Quando siamo arrivati in fondo, il signore con la radio e la maestra Paola, dicendoci di fare piano e stare in silenzio, ci hanno messo davanti a delle ringhiere di ferro come quelle che ogni tanto si vedono per la strada. Di là dalle ringhiere c'era uno sgabello che girava. Lorenzo ha fatto con la mano il verso dello sgabello che girava e si è messo a ridere. Anche Tajij si è messo a ridere.

La maestra Paola gli ha detto di smettere, ma a loro gli era presa la ridarella e non riuscivano più a smettere, allora dopo un po' la maestra Paola ha chiesto alla mamma di Hamal di portarli via. Noi siamo rimasti in silenzio a guardare lo sgabello. Un po' buffo però era. Girava e girava e non si fermava più. Il signore con la radio in mano ci ha spiegato che ha iniziato a girare forte così più di due mesi fa e che non ha più smesso e che è una cosa incredibile e che arrivano persone da tutte le parti del mondo a vederlo. Ha anche sorriso e sottovoce ci ha detto che grazie allo sgabello ha incontrato il suo amore. Intorno a noi c'erano persone di tutti i colori e vestite in modo molto strano. Da una parte c'era un gruppo intero che continuava a sdraiarsi per terra e rialzarsi, senza mai fermarsi. Io ho chiesto alla maestra Paola cosa facevano quelle persone e lei mi ha detto che era un modo di pregare. Io ho pensato che era un modo di pregare molto faticoso e che noi siamo più furbi perché ci basta unire le mani. Ho chiesto anche alla maestra Paola perché quelle persone stavano pregando e lei mi ha detto che secondo quelle persone lo sgabello che gira è un segno di Dio. Io allora ho pensato che era una cosa ancora più strana e bella. Quando sono tornata a casa l'ho raccontato al babbo e lui si è di nuovo arrabbiato e ha detto alla mamma che voleva levarmi dalla mia scuola. Io spero che non lo fa perché la mia scuola mi piace e anche i miei compagni e anche la maestra Paola.

La maestra Paola ha detto che dopo la gita, per i compiti a casa dovevamo scrivere un pensiero sulla gita e su quello che eravamo andati a vedere. Il mio pensiero è che è stato molto bello vedere l'aeroporto e tutte quelle buffe persone che stavano in silenzio. Lo sgabello, girava.

Attraversò la sala come l'onda di un sasso in uno stagno. Le prime luci dell'alba iniziavano a filtrare attraverso le grandi vetrate e qualche testa prendeva ad alzarsi muovendosi da una parte all'altra e scrocchiando le ossa anchilosate del collo. Si sentì arrivare lentamente, in un soffio, fino a distinguerne ogni più piccolo suono. L'onda si sparse per la sala, in un bisbiglio, e ogni volta che colpiva qualcuno, questo girava la testa di scatto verso quella che solo pochi mesi prima era l'area ristorante dell'aeroporto.

I monaci erano inginocchiati a terra e cantilenavano qualcosa che improvvisamente non aveva più l'aria felice. Le persone che fino a poco prima si sdraiavano e rialzavano in complete prostrazioni erano in piedi, raggelate, senza sapere più cosa fare. Qualcuno iniziò a domandare come fosse accaduto.

«Non so.»

«Non ho visto.»

«Mi ha svegliato mio marito dicendomi che si era fermato, ma non so come sia successo.»

Poi, in mezzo a quei volti spaesati, qualche spiegazione si faceva largo dalle prime file.

«Lo stavo osservando, era come un secondo prima e come tutti i giorni prima, poi, semplicemente, ha preso a ruotare più piano.»

«All'inizio pensavo che fosse un'allucinazione, la stanchezza.»

«Non è possibile, mi dicevo. E poi ha continuato a rallentare e si è fermato.»

«Gesù.»

«Mio Dio.»

«E ora?»

Qualcuno era irritato da tutto quel chiacchiericcio, riassalito da pensieri che nel frattempo aveva scordato: le pulizie di casa, la presentazione per il nuovo cliente, la macchina da riparare. Il mondo, d'un tratto, pareva essere riapparso.

Il brusio delle spiegazioni e dei commenti si muoveva ad anello, verso l'esterno, e nel momento in cui passava, tornava il silenzio. E per la prima volta, da mesi, l'immobilità. Non c'erano più sospirate litanie, bisbigli di spiegazioni, inviti a fare largo per scolaresche, il lento e costante fruscio delle prostrazioni, il chiacchiericcio e il tramestio di chi scartava qualcosa da mangiare o faceva amicizia. Improvvisamente, tutto era immobile, e nel momento in cui l'onda delle spiegazioni raggiunse il fondo della sala, si dissolse. Ci fu allora un momento impeccabile. Nessuno si muoveva, nessuno produceva alcun suono, e dopo qualche istante il silenzio e l'immobilità furono talmente densi che parvero potersi contrarre e implodere.

«Papà, ho fame.»

Il padre del bambino, in una delle prime file, si voltò verso suo figlio, si mise un dito sulle labbra e gli fece segno con aria minacciosa di tacere. Una donna lì accanto sorrise al bambino.

«Per la verità, anche io» bisbigliò un ragazzo a un suo amico. L'amico scoppiò a ridere. Una coppia poco distante li squadrò con aria severa, una anziana signora li osservò e fece capire ridacchiando che in effetti, anche lei... In modo non molto dissimile da come era vagata in giro per la sala la notizia dell'arresto e poi la sua spiegazione, iniziò a diffondersi una domanda: «È già aperto il bar?».

Quando Luigi vide quella massa di persone avvicinarsi come una mandria dal fondo dell'ingresso dell'aeroporto, pensò di avere le traveggole, e che le due grappe della sera prima con Gaspare gli avevano di nuovo fatto male. Mentre ancora stava cercando di raccapezzarsi, però, i suoi dubbi e i suoi pensieri furono spolverati da una tormenta di richieste e saluti e risate. Luigi volò a chiamare Luisa, che si stava ancora preparando sul retro, e le disse di lasciar perdere il grembiule e che c'era un'emergenza e che doveva correre alla macchina del caffè. C'erano monaci che parlavano a gesti con giovani dai capelli lunghi, famiglie con bambini che scambiavano cortesie con ragazzotti tatuati, monache intimidite ma sorridenti che si facevano aiutare da un gruppo di hare krishna, santoni indiani coperti di cenere con scontrini in mano che cercavano di avvicinarsi al banco. Tutti volevano cappuccini e brioche e caffè e chi era poco pratico si faceva volentieri consigliare.

La sera prima, Luigi, mentre beveva le sue due grappe, parlava a Gaspare del problema alla gamba di sua figlia. Gli spiegava che era più lunga dell'altra per un difetto nell'estensione dei tessuti, così sembrava aver detto il medico, e che era stata da poco messa a punto un'attrezzatura molto efficace ma anche molto costosa che in Italia non si trovava. Luigi e sua moglie avevano appena comprato casa, e il mutuo già li metteva in grave difficoltà. Proprio mentre un'oretta prima, incapace di dormire, era arrivato in anticipo al bar e indossava la divisa, aveva scorto sulla parete l'icona di san Gennaro che gli aveva lasciato sua madre anni prima perché lo proteggesse. Mentre ritirava scontrini e dava brioche su brioche e tramezzini e ordinava caffè e cappuccini a Luisa e vedeva soldi piovergli nelle mani, Luigi improvvisamente si scusò, corse nel retro, raccolse l'icona di sua madre e la baciò.

«Grazie, san Genna'.»

Bisturi

Fu così che iniziai a intuire i contorni delle cose. Tutto aveva confini precisi, incapaci di sovrapporsi. Dunque, presi semplicemente a inciderli. Mi servii in un primo momento di un vecchio trincetto che tenevo nel portapenne dai tempi della scuola. Era azzurro, con il fondo estraibile nero e la sicura gialla della lama. Il fondo portava all'estremità una fessura: bastava estrarre la lama della misura di una sua sezione, infilare la cima nella fessura del fondo e praticare una decisa pressione. La sezione della lama cedeva con un colpo secco. Nel corso degli anni avevo staccato diverse sezioni. Di solito cadevano sul piano del tavolo: avevano improvvisamente qualcosa di malinconico, qualcosa che ricordava l'angheria del tempo e l'inutilità.

Anche quando presi a incidere i contorni delle cose staccai una sezione della lama del trincetto: avevo bisogno di una punta più precisa, che non perdonasse errori e disattenzioni. La lama era ormai ridotta a poco più di metà, e il tempo ci aveva tatuato sopra piccole macchie di ruggine e di inchiostro e di qualche sconosciuta reazione chimica, e diversi graffi.

Ero molto affezionato a quel trincetto, ma compresi ben presto che non faceva al caso mio. Affinata per quanto possibile la tecnica, il taglio risultava sempre grossolano e una volta tornato a casa, alla luce della lampada da tavolo, le curve e le pieghe apparivano sempre eccessivamente spigolose. Era molto frustrante, e il più delle volte mi ero ritrovato a dover gettare il lavoro.

Mi venne in aiuto una verruca. Un piccolo ma profondo cratere mi era sbucato da qualche giorno nella pianta del piede sinistro. In un primo momento non ci feci caso, ma una sera notai che in fondo al cratere si nascondeva qualcosa di scuro. Pensai che ci fosse rimasta incastrata dentro una scheggia. Quando ero piccolo era il babbo l'addetto all'estrazione delle schegge. La mamma invece disinfettava le ferite e applicava i cerotti. Quando una scheggia mi si infilava da qualche parte, dopo averla osservata da vicino e molto attentamente per qualche minuto, andavo a mostrarla al babbo. Il babbo afferrava con decisione la porzione del mio corpo in cui era penetrata la scheggia e la metteva a favore della luce. Ero spesso costretto a pose goffe. Poi il babbo mi mandava dalla mamma a chiedere un ago e una pinzetta. L'addetta agli aghi e alle pinzette era lei.

Una volta portatogli l'ago, il babbo cavava di tasca l'accendino e avvicinava la punta alla fiamma, fino a farla diventare rossa. Un giorno mi spiegò che era per sterilizzarlo. Mi sentii molto grande quando me lo disse. Poi il babbo mi rimetteva in qualche posizione goffa, a favore della luce, e mi diceva di stare fermo. Da un certo momento in poi prese anche a mettersi sulla punta del naso un sottile paio di occhiali. Teneva l'ago tra il pollice e l'indice: con la punta del medio lo guidava in prossimità della scheggia e pian piano ne scalzava a brevi ma decisi colpetti la pelle tutt'intorno. Ogni qualche colpetto mi chiedeva se faceva male. Cercavo di rispondere sempre di no: solitamente era vero, e quando sentivo dolore, se una scossa non mi tradiva, cercavo di essere forte. In ogni caso era un genere di dolore molto interessante: affilato e circoscritto. La sua incapacità di propagarsi era molto confortante.

In breve la scheggia compariva per buona parte della sua lunghezza: il babbo allora posava l'ago, raccoglieva la pinzetta e l'estraeva. La scheggia rimaneva di solito attaccata a uno dei fianchi della pinzetta. Qualche volta la pinzetta non serviva nemmeno, e il babbo riusciva a estrarre la scheggia direttamente con l'ago. Quindi il babbo la guardava e la roteava da una parte all'altra.

«Eccola» diceva.

Poi, dopo avermela mostrata e averla brevemente valutata insieme, ripuliva la pinzetta, raccoglieva l'ago messo da parte e con una pacca mi diceva di riportarli alla mamma.

Quando affondai la punta annerita dell'ago nel cratere del mio piede, l'unica cosa che ottenni fu un'eruzione di sangue. Considerati il diametro del cratere e la pressione della mia mano, l'eruzione fu piuttosto intensa. Impedì qualunque prosecuzione dei lavori: mi obbligò a praticare una leggera medicazione e coprire il tutto con un cerotto sterile. Dovetti aspettare quasi tre giorni per tornare a scorgere qualcosa nel cratere. Questa volta mi armai di maggiore delicatezza e di una vecchia lente di ingrandimento con il manico di legno. Invece di affondare l'ago nel cratere tentai di scalzare la pelle per allargare il solco e vedere meglio. La pelle del mio piede era più spessa del previsto. Mi domandai come fosse possibile, in che modo la mia sostanziale inattività avesse potuto modellare e indurire la scorza del mio corpo. Anche le mie mani tradivano inspiegabilmente dell'attività fisica. Una sera di qualche anno prima una mia mano si era ritrovata tra quelle di una sconosciuta, l'amica di un individuo dai capelli rossi per cui provavo soprattutto fastidio, ma che si riteneva mio amico e di tanto in tanto si divertiva a mostrarmi in giro come un'attrazione. La sconosciuta aveva i capelli tagliati in un insolito caschetto. La riga di nero della palpebra sinistra piegava prematuramente verso il basso e l'incisivo sinistro superiore si accavallava leggermente al destro: questo era forse il tratto più interessante del suo volto. Era seduta sulla poltrona di un elegante salotto e teneva la mia mano tra le sue. Aveva l'aria molto interessata.

«Che fai?» mi aveva domandato mentre avvicinava leggermente gli occhi al palmo della mia mano.

«Aspetto che lei mi renda la mano» avevo suggerito.

Lei aveva riso. Due linee le si erano scavate in entrambe le guance e i denti avevano mostrato ulteriori imperfezioni.

«Nella vita, intendo» aveva specificato la sconosciuta senza rendermi la mano.

«Ah.»

Lei mi aveva guardato senza aggiungere altro.

«Quindi?» aveva detto poi sorridendo.

«Quindi che?»

«Cosa fai nella vita?»

Come sempre avevo trovato interessante la vaghezza della domanda.

«Niente» avevo risposto.

«Che significa niente?»

Questa domanda mi era parsa molto più brillante.

«La sua è una domanda piuttosto impegnativa» mi ero trovato a riflettere mentre la sconosciuta non accennava a rendermi la mano. «Di solito, con la parola "niente" si indica un'assenza, in qualche modo il contrario di un tutto, e quindi per paradosso il tutto stesso. In termini scientifici la parola non ha alcun valore tecnico, indica un insieme vuoto.»

La sconosciuta con il caschetto e gli incisivi sovrapposti mi aveva di nuovo guardato qualche secondo e aveva sorriso.

«Intendevo dire cosa significa che non fai niente nella vita» aveva detto riscaldando e abbassando la voce di un paio di ottave. Anche questa era tutto sommato una domanda interessante. Questa persona aveva bisogno di molte istruzioni.

«È quella che viene comunemente definita una "frase fatta": significa che ho eliminato qualunque relazione attiva con il mondo.»

La ragazza mi aveva fissato con quello che pareva un insopportabile sguardo rapito e d'intesa.

«Be'» aveva detto tornando a guardare la mano, «non sembra la mano di uno che non fa niente.»

Ricordo che non sapevo bene come dovesse essere la mia mano, ma che iniziavo ad avere una certa urgenza che mi venisse restituita. Quando ero riuscito a riaverla mi ero messo a osservare la gente che sfilava. Le poltrone di velluto su cui sedevamo erano situate in un largo corridoio. Persone eleganti ci passavano a fianco con bicchieri in mano. Nell'imboccare il corridoio il loro passo accennava impercettibilmente a rallentare.

La ragazza si era successivamente offerta di appartarsi con me.

«Grazie, ma preferirei di no» avevo risposto.

Il tessuto in fondo al cratere del mio piede era molle e spugnoso, dissimile da qualunque materiale cutaneo mi fosse mai capitato di vedere. Dopo un paio di settimane, quando il cratere sotto al mio piede iniziò a produrre un leggero dolore, pensai di consultare qualcuno: il dolore provocava un impercettibile disassamento nella mia andatura, e la cosa iniziava a infastidirmi.

Quando Nina venne ad aprirmi sembrava a disagio.

«Che vuoi?» domandò.

Scivolai con una certa destrezza nell'ingresso.

«Ho bisogno di un consulto.»

Nina mi guardò male. Per qualche ragione aveva in testa un buffo copricapo simile a un turbante.

«Non ora, Teo, ho da fare.»

Svicolai nella grande porta a vetri.

«Ci vorrà un secondo.»

Nel salotto, riunita intorno a un basso tavolo di cristallo, c'era una dozzina di signore di varia età. Avevano indosso abiti colorati e delle tazze di tè in mano. Sul tavolo erano poggiati dei sacchi di plastica e una delle signore, con i capelli rossi legati in una bizzarra cofana, era in piedi davanti al camino, come se stesse facendo un sermone.

«Oh» dissi fermandomi sull'ingresso del salotto. «Buonasera.»

Le signore sembravano piuttosto impensierite dalla mia apparizione.

«Buonasera» disse qualcuna di loro, non molto convinta.

«Teo, per favore, abbiamo da fare» disse mia sorella alle mie spalle. Sembrava molto preoccupata. Si voltò verso le sue compagne. «Perdonate, è mio fratello.»

Ci fu un coro di saluti e approvazioni, un paio si voltarono verso le vicine e bisbigliarono qualcosa.

«Fare che?» domandai senza riuscire a staccare gli occhi dalle signore.

«È il mio gruppo di giardinaggio. Non sono affari tuoi.»

«Ah» dissi io, poi mi riscossi e mi avviai verso il tavolo di noce intarsiato nell'angolo, che una volta era stato di nostra nonna. Da piccolo mi ci sedevo sotto e stavo semplicemente fermo a osservare. I piedi delle persone che passavano, soprattutto. All'inizio i miei l'avevano trovata una cosa divertente, poi la mia immobilità e il mio silenzio aveva preso a inquietarli e si erano spazientiti. Infine, avevano deciso di soprassedere.

Quando mi adagiai su una delle sedie del tavolo e presi a slacciarmi la scarpa, mia sorella scattò.

«Teo, ho detto che non è il momento!»

Sfilai noncurante anche il calzino e le porsi la pianta del piede.

«Cos'è secondo te?»

Nina mi fissò con aria furente, poi fece tre passi avanti, mi raccolse il tallone con la mano destra e lo alzò per vedere meglio. Non fu molto delicata, e non potei impedire una leggera flessione indietro del busto.

«Non lo so» disse Nina, «sembra un buco.»

Le altre signore si alzarono d'un tratto dai divani e dalle poltrone e si riunirono alle spalle di Nina. Qualcuna si piegò leggermente in avanti per vedere meglio.

«Lo so che è un buco» dissi io. «Ma c'è qualcosa in fondo.»

«Una spina?» domandò una delle signore gettandomi una rapida occhiata.

«Non direi. Ho provato a estrarla con la punta di un ago, ma ho ottenuto soltanto una intensa eruzione di sangue. Sembra più materia molle.»

Le signore e mia sorella restarono qualche istante in silenzio a osservare attentamente la pianta del mio piede.

«Una verruca» disse d'un tratto una delle signore.

Le altre si voltarono a guardarla.
«Una verruca?»
«Sì, è senz'altro una verruca.»
Le signore tirarono leggermente indietro la testa.
«Oddio che schifo» disse qualcuna. Mia sorella mi fissò nuovamente con aria severa. Poi però riavvicinarono tutte la testa. In fin dei conti sembravano molto interessate.
«Ma sono fatte così le verruche?»
«Sì, anche.»
«Le facevo più brutte.»
«Alcune sono orrende.»
«Lei ha dei bei piedi.»
«Grazie.»
«Occhio che sono contagiose.»
«Cosa?»
«Le verruche. Sono contagiose.»
Le signore che guardavano più da vicino il mio piede si allontanarono di scatto, e mia sorella mi mollò immediatamente il tallone.
Rimasero tutte ferme a fissarmi.
«Mi daresti per favore il numero di quella dermatologa da cui sei stata una volta?» domandai a mia sorella.
«Non sono mai stata da nessuna dermatologa» rispose lei.
«Come no? Quando ti è venuta quell'eruzione sul fianco.»
Le signore guardarono tutte mia sorella, incuriosite.
«Non ho mai avuto alcun tipo di eruzione.»
Dovevo usare un'altra strategia.
«Vabbè. Conosci per caso una dermatologa?»
Mia sorella ci pensò sopra un secondo.
«La dottoressa L.»
Fu un tripudio di approvazioni.
«Aaah, una donna meravigliosa!» disse una delle signore.
«Grandissima persona!» approvò un'altra.
«E che medico...»
«Guardate, a mio marito ha risolto una noia che non sapevamo

più come fare» disse un'altra mentre già si riavviavano tutte verso i divani.

Mi fu chiesto di unirmi a loro per una tazza di tè. Fu piuttosto interessante. La signora che quando ero entrato stava in piedi si rimise davanti al focolare e fece un'accorata e scrupolosa analisi del problema dei fertilizzanti. Imparai molte cose. Gli elementi principali dei fertilizzanti sono azoto, fosforo e potassio. Gli elementi secondari sono il calcio, il magnesio, lo zolfo, il sodio e il cloro. Sul sodio pare esserci una diatriba: nel Nord Europa, dove scarseggia, gli danno molta importanza; in realtà sembrerebbe non contribuire allo sviluppo della pianta, forse la danneggerebbe pure. I microelementi sono il boro, il manganese, il rame, lo zinco, il molibdeno, il cobalto e il ferro. I concimi si suddividono in chimici e organici. I concimi chimici si dividono in semplici, binari e ternari, a seconda che possiedano uno, due o tutti e tre gli elementi principali. La signora si prese una pausa.

«Per il giardinaggio, il concime migliore rimane la popò.»

Così disse, questa raffinata esegeta del giardinaggio: la popò.

La segretaria della dottoressa L. era una donna molto brutta. Era talmente brutta e il suo tentativo di rimediarvi talmente goffo che provai un improvviso e bruciante desiderio di inciderle il volto e portarmelo a casa. Mi sarebbe piaciuto dirle di fermarsi, bloccarle la testa, cavare di tasca il vecchio trincetto e inciderle i contorni del capo. Il sistema per incidere oggetti in movimento mi assillava. È vero: anche per gli oggetti immobili riscontravo di tanto in tanto qualche difficoltà, a cui tuttavia sapevo che presto o tardi – con gli strumenti adatti e la pratica necessaria – avrei trovato una soluzione. Agli oggetti animati invece si abbinava il problema della mobilità. Restai qualche secondo a fissare l'orrenda testa di quella donna e i suoi contorni, domandandomi in quale modo potessi bloccarla senza agire sulla sua forma naturale, oppure in che modo potessi permettere alla mia incisione di assecondare i suoi movimenti.

«Serve altro?»

La segretaria mi fissava con aria spazientita. La guardai un attimo negli occhi.

«No» mi riscossi. «Grazie.»

«Allora può accomodarsi in sala d'aspetto» disse la segretaria mostrando una piccola porta di legno scuro alla mia destra.

La sala d'aspetto era una semplice stanza rettangolare, un tre metri per quattro, muri bianchi. Alle pareti erano appese vecchie stampe di animali. Due animali per stampa, sotto ognuno un numero e una dicitura. Erano tutti rappresentati di profilo. C'era una capra, con sotto scritto: "72. Capra". Mi domandai secondo quale logica la capra si fosse guadagnata il numero 72. C'era l'istrice: sotto aveva scritto: "36. Istrice". La marmotta portava il numero 51. Il 51 mi parve molto adatto alla marmotta.

I muri erano costeggiati da una fila uniforme di sedie in legno, con la seduta di paglia intrecciata. A terra, sopra un parquet chiaro usurato, c'era un tappeto persiano vagamente liso, coperto per buona parte da un ampio e basso tavolo di legno trattato, cosparso di vecchie riviste. Una tipica sala d'aspetto. Il basso tavolo al centro della stanza era punteggiato di tarlature che, a giudicare dalle gambe, parevano avere una loro struttura organica. Mi domandai se le tarlature del piano potessero nascondere schemi o codici decifrabili. Riuscii a resistere appena un paio di minuti, poi dovetti abbandonare la sedia su cui mi ero seduto e andai a liberare il piano del tavolo dalle riviste. Fu un lavoro impegnativo, che mi provocò una leggera sudorazione all'ascella sinistra. Nella foga del momento avevo dimenticato che la mia ascella sinistra era estremamente sensibile all'attività fisica, e adesso quella traccia di secrezione che galleggiava sulla superficie dell'epidermide mi riempiva di disagio. Per un attimo pensai di scappare e andare a farmi una doccia, poi tentai di calmarmi e di riconcentrarmi sul piano tarlato del tavolo. Non fu molto semplice: il mio umore attraversò un momento di profondo fastidio, e quando percepii che la secrezione si era asciugata, l'idea di quel residuo secco accennò a scatenarmi una punta di panico. Sentivo i pori tappati della mia pelle e mi mancò il fiato. Le tarlature variavano, nel diametro, di qualche frazione di millimetro. Notai che i fori più ampi provocavano impercettibili accentramenti, leggerissime contrazioni nello spazio circostante, e si sviluppavano su assi longitudinali. I fori più piccoli invece avevano un certo carattere satellitare, la cui struttura risultava a un primo ma attento sguardo indeterminabile. Intuii immediatamente che la trama fondamentale – la logica su cui si articolava tutto – gravava, come per altro spesso accade, sui fori di media grandezza.

Sentii la porta aprirsi alle mie spalle. L'orrenda segretaria della dottoressa L. era in piedi nel vano, con il suo camice bianco indosso. Guardò con aria perplessa il tavolo sgomberato, poi me con infastidita curiosità.

«Può entrare» disse.

«Oh» dissi io, poi tornai per un attimo a fissare la superficie del tavolo. «Se mi dà un minuto rimetto tutto com'era.»

In realtà speravo semplicemente di avere qualche altro momento a disposizione per studiare la composizione delle tarlature.

«Non importa, ci penso io» disse la segretaria.

«Insisto.»

«Anche io.»

L'idea di un confronto fisico con quella donna straordinariamente brutta d'un tratto mi preoccupò, e decisi a malincuore di abbandonare il campo.

La dottoressa L. era una donna molto minuta. Sedeva in fondo al suo studio, dietro una grande scrivania di legno messa leggermente di sbieco. L'ampia finestra alle sue spalle la circondava di un leggero controluce, che abbinato ai gomiti poggiati sui braccioli della poltrona e le mani giunte le dava una buffa aria potente.

«Buongiorno» mi disse la dottoressa.

I muri dello studio erano di un improbabile arancione scuro. Sulla destra c'erano un lettino e un carrello con degli strumenti.

«Buongiorno» dissi pure io.

Mi misi a sedere tentando di non muovere la sedia davanti alla scrivania.

«Mi dica» disse la dottoressa senza spostarsi di un millimetro, con un filo di sorriso appeso alle labbra. Aveva la pelle molto uniforme.

«Ho qualcosa sotto il piede.»

La dottoressa mi fissò qualche istante in silenzio.

«Vediamo» disse poi alzandosi.

«Qui?»

«Certo.»

La dottoressa mi fece adagiare su un lettino, mi fece alzare il piede e vi avvicinò una grossa lente circondata da un anello di luci. Mentre già fissava la pianta del mio piede da dietro la sua grossa lente, la dottoressa raccolse dal carrello una boccetta e spruzzò qualcosa nel punto in cui era comparso il cratere.

«Sì, è proprio lei» disse dopo un po', allontanando la lente con un mezzo sorriso compiaciuto.

«Lei chi?»

«La verruca.»

«Ah. E quindi?»

«E quindi c'è da lavorare» disse la dottoressa tornando a sedere dietro la scrivania. «Si rimetta pure la scarpa e si accomodi.»

Quando fui tornato a sedere la dottoressa mi diede una leggera infarinatura su cosa fosse una verruca e come si comportasse. Raccolse anche un pezzetto di carta dalla scrivania e, con una penna a sfera argentata, ci tracciò sopra l'approssimativa sezione di una verruca plantare. Mi informò che la verruca plantare ha la fastidiosa caratteristica di addentrarsi nell'epidermide e renderne particolarmente difficile la rimozione. M'informò anche che nessun trattamento garantiva la certezza del successo. Mi disse che c'era addirittura chi sosteneva che, essendo sostanzialmente una patologia virale, il miglior rimedio fosse l'effetto placebo.

«È un po' tardi» feci notare.

«Per cosa?» domandò la dottoressa interrompendo la sua improvvisata lezione e aggrottando un attimo gli occhi.

«Per l'effetto placebo.»

«Cioè?»

«Be', ora che lo so che placebo è? Se non me lo diceva e mi dava quella boccetta con cui mi ha spruzzato forse eravamo ancora in tempo.»

«Ma quella era solo acqua termale.»

«Un placebo eccezionale, direi.»

La dottoressa mi guardò con aria perplessa.

«In ogni caso ci ho sempre creduto poco a questa storia del placebo» disse, poi continuò sostenendo che la sua ormai trentennale esperienza l'aveva portata a sviluppare un metodo che sembrava funzionare più degli altri. Mi disse che si poteva anche tentare con il laser, ma che – per quanto statisticamente si registrassero maggiori successi – nemmeno con quello la garanzia era assoluta, e tra l'altro si apriva comunque una ferita, che nel caso di un piede poteva risultare molto fastidiosa. La informai che già così sentivo un leggero ma noioso disassamento nell'andatura, e che preferivo non accentuarlo. La dottoressa mi guardò di nuovo con aria perplessa, poi raccolse da un cassetto un foglio e mi illustrò la sua rodata strategia. Si trattava di una cura quotidiana: dovevo scaldare qualche minuto il piede o comunque la parte interessata in acqua calda, grattare la pelle di superficie con una lama o qualche altro materiale abrasivo, applicare un liquido a base di acido salicilico che mi avrebbe prescritto, far asciugare per almeno mezz'ora e coprire infine con un cerotto sterile telato. Suggerì anche, per il periodo del trattamento, di fare la doccia la mattina, senza levare il cerotto, in modo da lasciare tutto il giorno la verruca inumidita.

«E se ne faccio più di una al giorno?»

Lei mi guardò un momento.

«Tanto meglio.»

Scrisse su un foglio intestato il nome del liquido e attaccò un campione di cerotto in un angolo del foglio con le istruzioni.

«Per asportare la superficie trattata di pelle, invece» disse mentre apriva un cassetto e tirava fuori una stretta e piatta bustina di plastica, «userei questo.»

Appoggiò la bustina sul piano della scrivania. La superficie della bustina era trasparente e spiegazzata. All'interno c'era un oggetto stretto e lungo di plastica verdognola, con una metratura incisa sopra. A una delle estremità era applicato un lungo cappuccio di plastica trasparente opaca, e all'interno del cappuccio, saldata al manico verdognolo, si intuiva una lama.

«È un piccolo bisturi» disse la dottoressa. Io la guardai un secondo negli occhi e mi sporsi in avanti per vederlo più da vicino.

Era una lama molto piccola, di misure ristrette rispetto alla parte di metallo fissata al manico. «Ritengo sia l'ideale per questo tipo di trattamento. Ovviamente deve fare molta attenzione.» Raccolse la bustina e impugnò lo strumento come una penna. «Deve tenerlo più parallelo alla pelle possibile e raschiare. Niente di più. Deve andarci estremamente cauto, è molto affilato. Mi sta ascoltando?»

D'un tratto mi riscossi e guardai la dottoressa. Mi ero sporto molto in avanti e non riuscivo a staccare gli occhi dalla piccola lama del bisturi.

«Certo.» Tentai di riprendermi. «Dove lo trovo?»

«Glielo lascio» disse la dottoressa, non molto convinta.

«Davvero?»

«Sì» mi scrutò lei. «E in ogni caso può trovarne altri in qualunque farmacia.»

Poi, sempre con un certo sospetto, riappoggiò la bustina sul tavolo e la spinse nella mia direzione, sopra la ricetta e le istruzioni per il trattamento.

«La cura richiede almeno tre settimane, se non di più. Porti pazienza» disse la dottoressa.

«Certo» dissi io, già in piedi e con la mano protesa per salutarla.

«Arrivederci.» Mi strinse la mano. «E chiami per qualunque problema.»

«Senz'altro» dissi mentre sgattaiolavo fuori.

Sbrigai le questioni economiche con la segretaria nel minore tempo possibile, senza sforzarmi di nascondere molta fretta e insofferenza. Appena fuori mi catapultai in macchina e dissi a Riccardo di volare a casa.

Una volta entrato, Maria mi venne incontro per raccogliermi il soprabito e mi avvisò che il pranzo sarebbe stato servito entro venti minuti.

«Sì, sì» risposi io di fretta correndo poi rapidamente nel salottino.

Il salottino era in realtà un vecchio studio, appartenuto prima a mio nonno e poi a mio padre, con però, oltre agli scaffali pieni di libri e la lunga scrivania di legno scuro, anche un largo divano, due poltrone di pelle e un basso, solido tavolo anch'esso di legno scuro. Per questo veniva chiamato "il salottino".

Andai a sedermi sul divano e appoggiai sul piano del tavolo l'oggetto regalatomi dalla dottoressa L. Lo appoggiai longitudinalmente rispetto al piano, al centro. Era molto complicato stabilire se fosse esattamente al centro. Per un attimo pensai di andare fino al cassetto della scrivania e raccogliere un metro che ricordavo di averci visto dentro. Avrei potuto misurare esattamente i bordi del tavolino e quelli della confezione plastificata, e trovare il centro esatto, o in ogni caso la posizione che dati gli strumenti a disposizione si avvicinasse maggiormente al centro esatto. Ma la confezione era piuttosto spiegazzata, e la sfumatura giallognola che stava assumendo la plastica mi riempiva di un crescente disagio. Mi risolsi dunque a raccogliere il pacchetto e aprirlo. La plastica trasparente si separò con grande facilità dalla carta, e mentre le due superfici si allontanavano sbocciava sempre più al loro interno uno stretto cappuccio di plastica. Quando il cappuccio fu tutto fuori, una volta sbocciato anche qualche centimetro di manico, lasciai con la mano sinistra il foglio di carta e augurandomi che la struttura non cedesse andai a sostenere l'oggetto con due dita. Sfilai dunque del tutto l'involucro e appoggiai di nuovo l'oggetto in quello che ritenni essere il più probabile centro del piano. Una venatura del legno appena più profonda pareva sostenere l'intera struttura. Andai verso la scrivania e facendo attenzione a piegare con molta cura l'involucro di carta e plastica trasparente lo gettai nel cestino di pelle nera. Tornai dunque verso il tavolino. L'oggetto verdognolo con il cappuccio opaco galleggiava là tranquillo sul legno scuro. Il verde del manico era particolarmente sgraziato e sulla cima del cappuccio opaco era praticato un fastidioso forellino. All'interno si intuiva però qualcosa di oltremodo sorprendente. Restai un buon minuto o due a scrutare dall'alto quell'oggetto meraviglioso, poi mi decisi: lo raccolsi, praticai una leggera pressione sul cappuccio opaco e molto lentamente presi a separarlo dal manico. In cima, fissata per mezzo di due forellini attraverso cui passava un grumo di plastica verdognola, si trovava una piccola lama metallica, la cui parte affilata era lunga non più di nove millimetri e larga probabilmente quattro. Era una lama di straordinaria eleganza, un inno all'accuratezza, e mentre me ne stavo lì in piedi ad ammirarla, sentii una vibrazione percorrermi il bacino e i genitali, e salirmi su fino a produrre un sibilo ad altissima frequenza nelle tempie.

Incisi diversi oggetti con quella lama. Il primo fu un posacenere. Era un comunissimo posacenere di vetro opaco azzurro, rotondo, del diametro di una decina di centimetri e alto tre. La sezione del vetro era poco più di mezzo centimetro e sul bordo, ortogonalmente, erano praticate quattro sedi per possibili sigarette.

Avevo appena acquistato un corposo e dettagliato libro sulla floricoltura e mi ero andato a sedere nella sala da tè di un bar dietro l'angolo, dove ricordavo che facevano delle interessanti centrifughe. La lezione sui fertilizzanti a cui avevo assistito da mia sorella mi aveva incuriosito, dunque mi era venuta voglia di saperne di più su questa faccenda dei fiori. Ordinai una centrifuga di carote e banana.

Feci caso al posacenere solo qualche minuto più tardi. Ce n'era uno per ogni tavolino, ma quando avevo spostato il mio per posare il libro sul piano ed estrarlo dal sacchetto della libreria non ci avevo fatto particolare attenzione. Quando invece poco più tardi stavo prendendo il mio secondo sorso della centrifuga di carote e banana, mi era caduto l'occhio sul tavolo accanto e sul posacenere, e non avevo potuto fare a meno di restarne rapito. Innanzi tutto era la prospettiva: la linea del mio sguardo colpiva il posacenere con un angolo molto approssimativo di trenta gradi rispetto alla linea del suolo e del piano del tavolo; questo permetteva al bordo del posacenere di formare un'ellisse piuttosto stretta e particolarmente elegante. La scanalatura frontale per le sigarette era in leggerissimo disasse rispetto alla linea di sguardo e mostrava appena il fianco scuro al suo interno. Nella scanalatura alla destra di quella frontale – quella a est, immaginando le quattro scanalature come punti cardinali rispetto al punto di vista – era incastrata una sigaretta spenta e leggermente sbilenca. Sul filtro della sigaretta si intuiva un'impercettibile traccia di rossetto. La superficie lucida del bordo e delle scanalature, quella opaca delle pareti esterne, il colore azzurro e quella sigaretta sbilenca e quella leggerissima traccia di rossetto parevano d'un tratto narrare l'intera umanità. Fui immediatamente invaso da una bruciante necessità di incidere il posacenere. Per un momento fu come se ogni mia speranza di relazione con il mondo dipendesse da questo. Il problema era come. Nessuno dei camerieri sarebbe stato felice di vedermi incidere il loro posacenere. Il bisturi della dottoressa L., che avevo prudentemente deciso di portarmi dietro, avrebbe reso il lavoro certamente più rapido e accurato, ma non era comunque un'operazione da concludersi in pochi secondi. La precisione era fondamentale, altrimenti sarebbe andata a finire come tutte le altre volte, e la faccenda avrebbe davvero preso a frustrarmi. Pensai per un attimo di andare a chiamare Riccardo in macchina e trovare un modo per farmi coprire, ma ero terrorizzato dall'idea che una volta fuori il posacenere venisse spostato o pulito e perdessi così la mia cruciale occasione. A essere sincero, anche lì, senza andarmene, ero preoccupato dalla possibilità di perdere quell'esatta prospettiva. Quando mi giravo per vedere se sopraggiungeva qualcuno, mi imponevo di irrigidire tutti i muscoli e voltare la testa il minimo indispensabile perché la coda degli occhi fosse in grado di intravedere l'uscita. Il che poneva un altro problema: il posacenere era a non meno di due metri da me e quando lo avevo scorto mi trovavo con il busto piuttosto eretto; per inciderlo mi sarei dovuto avvicinare parecchio e per non perdere quella straordinaria prospettiva mi sarei dovuto muovere sulla linea di sguardo, fino a trovarmi abbassato in una posizione che avrebbe senza dubbio destato qualche curiosità.

Decisi d'altronde che non avevo scelta. Estrassi con cautela dalla tasca interna della giacca il bisturi incappucciato della dottoressa L. e con la stessa cautela separai la lama dalla sua protezione. Voltai leggermente la testa fino a scorgere l'ingresso della sala da tè e tentai per un attimo di udire se potesse essere il momento giusto. Se non fosse che i miei occhi erano forse l'unico dettaglio che ammiravo di me, avrei per un istante desiderato essere un cieco e possedere la raffinatezza del loro udito. Mi voltai di nuovo verso il posacenere e, dopo essermi assicurato di trovarmi nella prospettiva ideale, presi a muovermi lungo il suo asse. Quando fui alla distanza giusta, ormai piegato fin quasi all'altezza del tavolino, avvicinai il bisturi al fianco destro del posacenere e, concentrando ogni mia cellula in quel preciso punto, affondai la lama. La morbidezza con cui il bisturi riusciva a procedere era davvero strabiliante e produceva dentro di me una scossa indubitabilmente erotica. Anche nella parte inferiore del posacenere, dove il bordo faceva un piccolo scalino, il bisturi seguì la linea senza alcuna fatica. Ero assolutamente estasiato, ogni molecola del mio corpo sentiva una gran voglia di ridere, e solo con un profondissimo autocontrollo e senso del dovere riuscii a trattenermi. Quando ormai il bisturi era già quasi giunto alla fine del bordo inferiore, vicino allo scalino di sinistra, sentii dei passi alle mie spalle. L'unica cosa che riuscii a fare fu appoggiare le mani sul piano del tavolo e nasconderci sotto il bisturi. Mentre il cameriere spariva dietro una porta scorrevole notai che mi guardava con le sopracciglia aggrottate. Pensai di rimettermi semplicemente a fissare il posacenere e sperai che non mi dicesse niente, e che non notasse l'angolo ormai molle del vetro azzurro. Appena ebbe superato la porta ripresi in mano il bisturi e mi rimisi al lavoro. Il lato sinistro del posacenere era più scomodo da incidere, ma la piccola lama rese il lavoro sorprendentemente semplice.

In men che non si dica, ancora prima che il cameriere risbucasse dalla porta scorrevole, finii il lavoro con quella che mi parve un'estrema precisione. D'altronde avrei dovuto aspettare di essere a casa per controllare con calma il lavoro: nella fretta di non essere scoperto gettai il posacenere intagliato tra le pagine del libro di floricoltura, proprio come avrei fatto con un fiore, e sul buco nero rimasto sul tavolino adagiai il tovagliolo che mi era stato servito insieme alla centrifuga. Anche nelle altre occasioni avevo notato quella sorta di buco nero che restava nel luogo dove poco prima si trovavano gli oggetti incisi, ma ogni volta la fretta di non essere visto e di tornare a casa per controllare il risultato mi aveva impedito di dedicarvi la necessaria attenzione. Non potevo dirlo con certezza, ma non pareva semplicemente una zona vuota, quanto più l'apertura su un luogo più profondo e oscuro, come l'oblò di una navicella affacciato sullo spazio siderale, o come una pupilla.

Andai di corsa a pagare e una volta in macchina ordinai a Riccardo di correre a casa più velocemente che poteva. Mi ritirai immediatamente in camera e dissi a tutti di non disturbarmi per alcun motivo. Andai fino al mio alto tavolo da lavoro, salii sullo sgabello, accesi la lampada mobile e una volta appoggiato il libro di floricoltura sul piano lo illuminai per bene. Aprii dunque il libro e con calma, con appena la punta di due dita, trattenni il posacenere intagliato; con la mano sinistra tirai via il libro e lasciai scivolare il posacenere direttamente sul piano. Era composto di una materia molto fine e molto tenace, setosa ma estremamente elastica. Mi fermai qualche momento a osservare il posacenere intagliato galleggiare lì sul piano nero del tavolo, sotto la luce bianca della lampada. Raccolsi dal portapenne una vecchia lente d'ingrandimento che mia nonna usava per fare i cuscini al piccolo punto e seguii attentamente i bordi del posacenere intagliato. Era un lavoro molto ben fatto. Solo in un punto sentii l'esigenza di estrarre ancora il bisturi dalla tasca e correggere una piccola sbavatura in eccesso. D'un tratto mi trovavo piuttosto a disagio a maneggiare il posacenere direttamente con la superficie delle dita e sentii l'urgenza di acquistare dei guanti sterili. Un giorno, non ricordavo bene dove, avevo anche visto sulla scrivania di qualcuno un tappetino verde millimetrato, su cui avrei potuto incidere con minore cautela e maggiore precisione. Decisi di cercare e acquistare pure quello.

Restava adesso il problema di cosa fare con il posacenere intagliato. Le altre volte il mio vecchio trincetto aveva talmente sporcato l'intaglio che il problema di cosa farne non si era nemmeno presentato. Pensai di parlarne con Livia. La invitai da me la sera stessa, come sempre per mezzo di un biglietto recapitatole da Riccardo. Dabbasso disposi che venisse condotta direttamente su nella mia stanza. La trovò una cosa inusuale, se non addirittura bizzarra, che la mise in un umore curioso. Mi guardava con aria sorpresa e sospetta. Gli improvvisi mutamenti delle usanze mettevano Livia in un lieve disagio.

Avevo conosciuto Livia in seguito al concerto privato di un conoscente. Mentre alla fine della modesta esibizione tutti si avventavano sui musicisti a riempirli di complimenti, il padrone di casa si era avvicinato e mi aveva ringraziato di essere lì e mi aveva invitato a rimanere per un brindisi. Mi ero chiesto cosa ci fosse da celebrare, ma avevo ringraziato e accettato, apparentemente di buon grado. Tuttavia, mentre poco dopo ci avviavamo verso il salone, avevo bofonchiato alla grinzosa signora che mi camminava accanto che dovevo raccogliere qualcosa nel paltò e, scusandomi, mi ero lanciato giù per le scale. Il luogo del concerto non era lontano da casa e avevo lasciato a Riccardo la serata libera. Mentre già mi trovavo all'angolo della via, una voce rimbalzò tra i muri della strada e mi raggiunse.

«Non un granché, le pare?»

Avevo il forte sospetto che la frase fosse rivolta a me, ma pensai di non rispondere e svoltai di fretta l'angolo. Udii alle mie spalle l'accelerare di piccoli passi.

«Che fa, scappa?» mi aveva colpito una voce di donna ormai al mio fianco. La cortesia mi aveva obbligato a fermarmi. A parlarmi era una giovane donna piuttosto alta, con indosso un lungo cappotto nero, una borsetta attaccata al braccio e un improbabile cappellino a fiori in testa.

«Non direi, accelero.»

«Ho notato. Ha urgenza di tornare a casa?»
«Sì, direi di sì.»
«E perché?»
La domanda era meno semplice di quanto apparisse.
«Lo trovo un luogo confortevole, immagino.»
Livia aveva annuito e mi aveva preso sottobraccio. L'idea di quell'inatteso contatto fisico mi aveva raggelato. Eppure, sorprendentemente, il disagio si era subito dissolto.
«Non sa come la capisco» aveva sospirato Livia.
Aveva poi leggermente forzato il mio gomito e avevamo ripreso a camminare.
«Dunque, non un granché, le pare?»
«Che cosa?»
«Il concerto.»
«Sì, piuttosto deludente, direi.»
«Non so cosa si debba fare ormai in questa città per ascoltare della buona musica.»
Livia era quindi partita per uno dei suoi usuali e inarrestabili sproloqui, che in seguito avrei imparato a non ascoltare ma che come una radio in sottofondo mi avrebbero tenuto molta compagnia. Terrorizzato dall'idea che lo sproloquio potesse non fermarsi più, giunto a casa mi ero bruscamente staccato dal suo braccio ed ero corso verso il portone, ringraziandola della piacevole serata e sparendo rapidamente all'interno.
Ero stato non poco sorpreso quando due giorni più tardi Livia era passata a trovarmi all'ora del tè, con in mano una scatola di pasticcini inglesi. Le sue visite erano diventate pian piano più frequenti, e si erano presto regolarizzate su tre pomeriggi a settimana: il martedì, il giovedì e il sabato, dalle sedici alle diciotto e trenta. Dunque, Livia si era introdotta nella mia esistenza senza che io l'autorizzassi formalmente: trovavo interessante che poi si spazientisse per qualche mio raro incrinamento delle abitudini.
«La borsa» disse adesso con aria scocciata, in piedi vicino alla porta.

«Non credo di seguirti.»

Mi guardò e non poté fare a meno di stringere la mascella e produrre un piccolo sbuffo.

«È che non so dove mettere la borsa.»

La fissai. In diverse occasioni avevo trovato il mondo di Livia piuttosto divertente, ma con tutta la buona volontà non riuscivo a trovare quello un serio problema.

«Prova lì» dissi indicando il vecchio divano di pelle rossastra che un giorno sarebbe diventato tanto importante e per cui tutti adesso mi esasperano.

Livia osservò per qualche secondo il divano, poi di nuovo me, e infine si decise a muoversi: poggiò la borsa con fastidio sui cuscini di pelle usurata e si voltò.

«Vieni qui. Guarda.»

Livia si avvicinò e fissò il piano illuminato del tavolo.

«Sì. E allora?»

«Come "e allora". Non ti piace?»

«Non saprei. È un posacenere.»

«No, è *il* posacenere.»

«Che significa è *il* posacenere?»

«Che è proprio lui, o quel che resta di lui.»

Livia mi guardò con aria perplessa.

«L'ho preso in un caffè in centro. L'ho inciso direttamente dal tavolo, con un bisturi.»

Livia mi fissò ancora un momento, poi tornò a guardare il posacenere adagiato sul tavolo e si chinò pure di qualche grado per vedere meglio.

«Cioè questo è proprio lui?»

«Sì, è proprio lui.»

Non potei trattenere un lieve sorriso di compiacimento.

«E al suo posto cosa è rimasto?»

«Non so bene: nella fretta di non essere scoperto ci ho gettato subito un tovagliolo sopra e me ne sono andato. Sembrava una specie di buco nero.»

Livia alzò gli occhi, raccolse dal portapenne una matita spuntata, l'avvicinò a un angolo del posacenere e ne mosse il bordo. La materia setosa e plastica di cui era composto si piegò leggermente e, non appena Livia allontanò la matita, tornò al suo posto.

«Affascinante.»

Non potei fare a meno di convenirne.

«E adesso?»

«E adesso che?»

«E adesso che facciamo?»

«Io credo che tornerò a casa.»

«No, con questo.»

«Che ne so. Che vorresti farci?»

«Non so, lo lasciamo qui così?»

Continuammo a fissare il posacenere illuminato. Avevo evidentemente sollevato una questione interessante.

«Potresti incorniciarlo.»

Incorniciarlo. La parola attraversò la mia mente come una parata di colombe. D'un tratto la stanza si riempì di cornici dorate appese a palloncini, e all'interno di ognuna uno splendido posacenere azzurro.

«Sei una donna stupefacente.»

«Prima però dovremmo trovare una superficie su cui adagiarlo.»

Una *superficie*. Livia quella sera era piena di intuizioni.

«Che tipo di superficie?»

«Non saprei. Potrebbe essere del legno, o della tela da pittori.»

Restai qualche momento fermo a guardare la sagoma illuminata del posacenere.

«Il legno forse è più adatto.»

«Non sembri molto convinto.»

«No, non sono molto convinto.»

«Perché?»

«Non so, il legno mi pare troppo concreto, forse è meglio qualcosa di più neutro. Tipo la superficie di questo tavolo.»

«Questo tavolo è laccato.»

«Eh.»
«Potremmo laccare una tavoletta di legno e fare incorniciare quella.»
«Si può fare?»
«Si può fare tutto.»
L'improvvisa sicurezza di Livia era molto eccitante.
«Dunque, che devo fare?»
«Lascia perdere, ci penso io.»
«Ci pensi tu?»
«Sì, ci penso io.»
«Davvero?»
«Sì, davvero.»
«Be', sei meravigliosa.»
«Sì, lo so.»

Livia ricomparve due giorni più tardi con in mano un ingombrante sacchetto di carta marrone. Mi fece i complimenti per la mia nuova giacca da camera e mi disse di andare subito nella mia stanza. Una volta di sopra mi chiese di tirare fuori il posacenere e di accendere la luce.

Accesi dunque la lampada e la posizionai sul tavolo da lavoro. Avevo fatto comprare a Riccardo una scatola di guanti in lattice e presi a indossarne una coppia. Quando avevo detto a Riccardo di acquistarli, lui mi aveva chiesto di quale misura. L'avevo osservato un momento perplesso.

«Non saprei.»
«Mi faccia vedere la mano.»
Avevo alzato la sinistra, ben aperta, con il dorso rivolto verso di lui.
«La volti» aveva detto Riccardo.

Avevo osservato la mia mano, facendo attenzione a non muovere alcuna altra parte del corpo, e avevo rivolto il palmo verso Riccardo. Non era una posizione molto comoda.

Riccardo aveva alzato la sua mano destra e aveva avvicinato il suo palmo al mio, fino a sfiorarlo. Il cuore aveva preso a battermi molto forte e mi ero sentito piuttosto a disagio. Sembrava una mano molto calda e molto ruvida.

«Bene» aveva detto Riccardo ritirando la mano, e poco più tardi era ricomparso alla porta della mia stanza con in mano la scatola di guanti.

Quando finii di infilarmi la coppia di guanti, vidi che Livia li stava fissando molto intensamente.

«E questi?»

«Sono guanti in lattice» risposi aprendo leggermente le mani per mostrarli meglio, come se fossero di qualcun altro.

«Sono bellissimi.»

«Se vuoi puoi averne un paio pure tu, ce n'è un'intera scatola.»

«Credi?»

«Certo.»

Allungai la mano verso il foro ellittico praticato sulla parte superiore della scatola, estrassi un'altra coppia di guanti e li porsi a Livia. Li raccolse senza smettere di fissarli, con le pupille mezze dilatate, e li indossò con cura. Erano leggermente grandi, ma non le stavano male.

«Sono leggermente grandi.»

«Sì, ma sono splendidi» sussurrò Livia continuando a girarsi le mani davanti agli occhi e sotto la luce della lampada.

«Te ne farò prendere una scatola della misura giusta, se vuoi.»

«Davvero?»

«Certo.»

«Sarebbe meraviglioso.»

Poi Livia si voltò e senza smettere di ammirarsi le mani andò a raccogliere il contenuto del sacchetto. Io intanto aprii sul piano il libro di floricoltura e fermando la sagoma del posacenere la lasciai di nuovo scivolare sul tavolo.

Livia estrasse dal sacchetto una scatola, l'aprì e raccolse da un materasso di gnocchi di polistirolo una cornice nera laccata. Era una comune cornice da quadro, piuttosto mossa, larga sei o sette centimetri e spessa sui tre, nera e lucida. Al suo interno c'era una superficie anch'essa lucida e nera, quadrata, di più o meno una spanna per lato.

«È molto bella.»

«Sì, lo so.»

«Chi te l'ha fatta?»

«Un corniciaio di fiducia.»

«Non sapevo avessi un corniciaio di fiducia.»

«Nemmeno io.»

Non ero certo di cosa quel "nemmeno io" significasse, ma mi parve una risposta brillante e non aggiunsi altro.

Livia sollevò la cornice e l'appoggiò sul piano del tavolo, subito accanto al posacenere intagliato. Mi disse di mettercelo dentro. Raccolsi con molta cura il posacenere con entrambe le mani e lo lasciai scivolare all'interno della cornice, sulla superficie nera. Livia ci sistemò bene la luce sopra e mi spostò leggermente di lato.

«Fai fare a me.» Prese a spostare il posacenere a piccoli colpetti, fermandosi di tanto in tanto e cambiando punto di vista e piegando la testa da una parte. «Ecco» disse infine.

Il posacenere sembrava in effetti perfettamente al centro. L'azzurro risaltava bene sul nero e la superficie morbida e opaca del posacenere creava un bel contrasto con il lucido della laccatura.

«E adesso?»

«E adesso bisogna fissarlo.»

«Fissarlo come?»

Livia allungò di nuovo le mani verso il sacchetto e tirò fuori un tubetto di metallo.

«Con questa.»

«E che è?»

«Colla.»

«Ah. E dove l'hai presa?»

«Da una mesticheria di fiducia.»

Livia, d'un tratto, oltre che piena di sorprese e determinazione, era pure piena di luoghi di fiducia.

«Dobbiamo stare attenti a metterne appena un velo, sennò rischia di fuoriuscire dai margini. Ce l'hai qualcosa su cui posso lavorare?»

«Tipo?»

«Non saprei. Una superficie qualunque che non ti interessa, il retro di un vecchio quaderno, un pezzo di cartone.»

Mi guardai intorno. C'erano soprattutto grossi libri che non avevo molta voglia di sciupare. Pensai che il libro di floricoltura ormai era parte dell'operazione.

«Prendi questo» dissi facendo scivolare il librone sul piano del tavolo, fino accanto alla cornice.

«Molto bene» disse Livia, poi si guardò un momento intorno, afferrò l'alto sgabello, se lo tirò vicino e si mise a sedere.

Fu così, con questo gesto banale e automatico, che Livia prese possesso del mio tavolo. Una volta incisi gli oggetti, divenne naturale portarli semplicemente a casa e mostrarli a Livia. Lei dunque si occupava di scegliere il materiale su cui adagiarli e il tipo di cornice. Le feci acquistare il tappetino millimetrato, di cui fu molto soddisfatta, e una sua personale scatola di guanti in lattice. Li indossava sempre con grande cura e una volta indossati li osservava per qualche secondo con aria rapita. Amava molto quei guanti.

Nel paio di settimane successive incisi la parte superiore di un ombrello con il manico di legno, un vecchio telefono grigio a disco, un portapenne e una lattina di birra ammaccata. Nella sala d'aspetto del dentista incisi pure una divertente e colorata pila di riviste.

Vidi l'ombrello fuori dalla porta di una signora che mi aveva invitato a cena. Lo incisi così com'era, lungo la linea del portaombrelli. Quando Livia lo vide lo trovò interessante: decise di pareggiare il fondo in una linea retta e presentarlo come se sparisse sotto la cornice. Ci pensò un po' su e le venne l'idea di adagiarlo sulla superficie grezza del retro di una tela da pittore. Disse che anche Francis Bacon lo faceva. Usò una semplice e spessa cornice dorata, e venne molto bene.

L'unico oggetto che riuscii a incidere con calma fu la lattina di birra ammaccata. La trovai di sera, dietro l'angolo di un vicolo, poggiata da sola su un armadietto della compagnia elettrica. La intagliai e la feci sparire in tasca dentro una busta di plastica che Livia mi faceva sempre portare dietro. E finalmente potei osservare quel buco nero che restava al posto degli oggetti intagliati. Era come una finestra su un luogo profondo e sconfinato. Ci infilai una mano dentro, con grandissima cautela, pensando che anche il dito potesse essere inghiottito da quel nero, ma non accadde niente. Era come se il nero fosse in fondo da qualche parte, eppure avvolgesse ugualmente tutto. A guardare bene il nero non pareva semplicemente nero, ma uno sfrigolare rapidissimo di colori, come quando uno strizza molto forte gli occhi chiusi, ma a frequenze infinitamente più alte. Non pareva vuoto e inanimato, quel nero, quanto più un luogo mosso da vibrazioni talmente rapide da diventare indistinguibili.

Il portapenne fu l'ultimo della serie a essere inciso, e feci molta più fatica del previsto. Gli angoli e i dettagli delle penne e delle matite erano molto sottili, e il bisturi procedeva con più fatica del solito. Rischiai persino di essere scoperto.

La sera, quando grattandomi la pelle in eccesso della verruca sentii un eccessivo attrito, capii che il bisturi si era slamato. La cura della verruca si era dimostrata un'operazione piuttosto impegnativa, oltre che non molto gradevole. I guanti erano risultati molto utili anche a questo. Ogni sera, prima di dormire, sedevo sul bordo del letto e avvicinavo il più possibile il piede alla luce. Dunque levavo il pezzo di cerotto sterile applicato la sera precedente e analizzavo l'evoluzione della cura. Di solito il gel di acido salicilico, seccatosi, lasciava una pellicola biancastra che il più delle volte restava attaccata al cerotto. Di tanto in tanto dovevo scalzare gli ultimi resti con la punta del bisturi. Il cerotto e l'acido salicilico rendevano la superficie della pelle bianca e dura. Pian piano, giorno dopo giorno, il cratere era stato quasi del tutto sbassato ed era presa via via ad apparire al suo posto una protuberanza. Un paio di sere prima la protuberanza aveva assunto un colore più scuro rispetto alla pelle circostante. Più precisamente, pareva che uno strato di pelle biancastra nascondesse una protuberanza più scura. Avevo tentato di vincere quel sigillo con la tecnica insegnatami dalla dottoressa L., tenendo il bisturi il più possibile parallelo alla superficie e levando delicatamente sottili strati di pelle. Quell'ultimo strato però non voleva disfarsi. Mi ero fermato e avevo osservato per qualche minuto la protuberanza, cercando di intuire il da farsi. Per un momento avevo pensato di non intervenire e lasciar lavorare l'acido salicilico per un altro giorno e vedere cosa sarebbe accaduto. La curiosità tuttavia di aprire quel velo di pelle biancastra e svelare cosa nascondesse era irresistibile. Avevo avvicinato dunque la punta del bisturi a quello che pareva il fianco della protuberanza e con grande cautela ve l'avevo affondata dentro. Subito la pelle si era spaccata e aveva mostrato una materia effettivamente più scura e morbida. Avevo finito quindi di incidere e asportare l'epidermide in eccesso, fino a scalzare e aprire un piccolo occhio di pelle, la cui pupilla era un ributtante bottone marroncino e spugnoso. Sulla superficie si intuivano quelle che fino a poche settimane prima dovevano essere le caratteristiche linee della pelle, tramutate adesso in orribili grinze profonde e legnose. Pareva che una forma di vita aliena avesse colonizzato e imputridito quella minuscola zona del mio corpo. Mi era parsa una faccenda scandalosa e sconveniente. Avevo raccolto dal tavolino da notte la boccetta di acido salicilico e con una certa rabbia vendicativa ve ne avevo applicato sopra uno strato più cospicuo del solito. Avevo sentito un discreto bruciore, che si era prolungato fin quasi a diventare insostenibile; eppure l'idea che quel bruciore fosse il primo doloroso segno della possibile vittoria contro l'odioso e disgustoso colonizzatore mi aveva fatto affrontare la sofferenza con grande tenacia. Mi ero dunque domandato in che luogo un essere tanto sgradevole potesse aver vinto la mia proverbiale attenzione all'igiene. Doveva essere stato senz'altro in quell'orrenda piscina in cui il dottor F. mi aveva consigliato di andare per fare esercizio fisico. Comprare quella grande cuffia e quella tuta intera da bagno e quegli scarpini di gomma non era servito a niente. D'un tratto mi ero sentito violato e sporco e avevo immaginato tutte le persone che avevano orinato di nascosto in quella piscina senza essere viste, tutte le invisibili scaglie di psoriasi che vi nuotavano dentro, tutti i residui di infezioni e secrezioni resistenti a qualunque miscela di cloro. Non avevo potuto fare altro che applicarmi di fretta il cerotto sul piede e correre sotto la doccia per lavarmi di nuovo a fondo con tre saponi diversi e una buona brusca. Avevo poi chiamato Maria e mi ero fatto portare una tisana alla melissa.

Adesso la protuberanza si era vistosamente ridotta e il colore più tenue mostrava i segni di una probabile imminente vittoria. Mi sentivo molto fiero. Il bisturi però si era senza dubbio slamato.

La mattina successiva, dopo aver fatto colazione e letto i giornali, dissi a Riccardo di portarmi in una buona farmacia. Una graziosa farmacista bionda, dopo avermi invitato a prendere un numerino da un distributore rosso accanto all'ingresso e aver servito altre tre persone, tra cui un anziano magro individuo che pareva piuttosto spaesato, mi chiese con un gran sorriso che cosa desiderassi. Cavai dalla tasca interna del soprabito il bisturi e lo poggiai al centro dello spazio libero del banco, su un orrendo tappetino giallo con sopra la foto di un insopportabile giovane, sorridente e abbronzato.

«Questo, grazie.»

La farmacista abbassò gli occhi sul bisturi verdognolo, lo raccolse, lo avvicinò per vederlo meglio e cavò la protezione.

«Mmm» prese a dire nascondendo il labbro superiore sotto quello inferiore. «Vedo se mi è rimasto.»

La farmacista sparì dietro una porta alle sue spalle. Un suo collega, alla mia destra, stava servendo una signora molto piccola e molto rotonda, con in testa un buffo cappello arancione. La signora chiedeva consiglio per dei fastidiosi pruriti e il farmacista, per quanto tentasse di essere professionale, non riusciva a trattenere delle brevi occhiate a noi altri clienti, che tradivano un sottile ma profondo imbarazzo.

Riapparve la mia farmacista con in mano il bisturi.

«Purtroppo li ho terminati. Se desidera ho però i manici universali e le varie lame. Di quelle ho tutte le misure.»

Le parole "varie lame" e "misure" presero a sbatacchiarmi in testa producendo un suono particolarmente gradevole.

«Non credo di seguirla.»

La farmacista mi fissò un attimo senza dire niente.

«Di questi» disse poi alzando bene il bisturi davanti ai miei occhi, «non ne abbiamo più. Abbiamo però» continuò lentamente, scandendo bene le parole e senza smettere di fissarmi «dei manici universali, più o meno come la parte verde di questo qui, ma di metallo, a cui si possono applicare le lame delle varie misure.»

Guardai la farmacista molto intensamente. Il suono nella mia testa si stava trasformando nell'accenno di una sinfonia.

«Misure?»

«Sì, misure.»

«Che intende per "misure"?»

Non potevo fare a meno di sentir sopraggiungere la lenta cadenza di un lontano assolo di violino. A giudicare dall'espressione della farmacista, lei sentiva solo il sopraggiungere di un accesso di fastidio.

«Glieli mostro, che faccio prima.»

La farmacista si voltò di nuovo e risparì dietro la porta. Ricomparve poco dopo con un libro in mano, che appoggiò sul banco e prese a scartabellare. Dopo qualche secondo, con un innegabile moto di stizza, andò in fondo al libro, scorse l'indice e tornò alla pagina giusta.

«Ecco, vede? Questo è il manico, a cui può applicare ognuna di queste lame.»

Sulla pagina patinata di un catalogo dalla cornice bordeaux erano montate le immagini di un bisturi di metallo, leggermente inclinato rispetto all'asse longitudinale del foglio, e quelle più piccole di un manico e una serie di lame di diverse forme e dimensioni. Erano fotografate perfettamente in asse e parallele, dall'alto verso il basso. Sei lame, ognuna con un piccolo numero a fianco, dal numero 10 al numero 15c. C'era la classica lama da bisturi che avevo sempre visto rappresentata in film e fotografie, la numero 10; una lama dritta e rastremata verso la punta tipo taglierino, la numero 11; due splendide lame ricurve, una leggermente più lunga e pronunciata dell'altra, la numero 12 e 12b; una apparentemente della stessa forma e misura di quella in mio possesso, la numero 15, e infine la 15c, di misura simile alla mia ma forse appena più stretta e con quella che sembrava una seconda piccola lama sul dorso.

Restai qualche secondo a guardare tutto quel bendiddio, immaginandomi gloriose incisioni e dissezioni.

«Che devo fare?» dissi titubante rialzando gli occhi. La farmacista mi squadrava con aria incuriosita.

«Mi scusi?»

«Non so bene cosa devo fare.»

«Le interessano?» domandò ancora la farmacista.

«Sì» mi affrettai a dire, ancora leggermente scosso. «Mi interessano parecchio.»

«Quali?»

«Tutte.»

«Tutte?»

«Sì, tutte. Quante ce ne sono per confezione?»

«Vengono in pacchetti da dieci.»

«Molto bene, dunque me ne dia cinque pacchetti per misura. E di manici?»

«Di manici...?»

«Le confezioni.»

«I manici vengono venduti singolarmente.»

«Molto bene. Allora me ne dia per favore uno, due, tre, quattro... sei... faccia dieci.»

La farmacista mi fissò ancora un attimo con aria incuriosita e non poté trattenere un sorriso, poi sparì di nuovo nel retro con il catalogo in mano. Ricomparve un paio di minuti dopo con i manici di metallo in una mano e nell'altra delle scatoline di cartoncino lucido anch'esso bordeaux.

«10, 11, 12...» elencò spostando le scatole rosse da una parte all'altra del tappetino con sopra l'insopportabile individuo abbronzato e sorridente, «12b, 15 e 15c. E due, quattro, sei, otto, dieci manici. Altro?»

«A posto così, grazie.»

La farmacista sorrise di nuovo e si mise alla cassa a fare il conto. Non fu una cifra da poco, ma di rado avevo pensato di aver speso così bene i miei soldi.

Una volta a casa, scappai immediatamente in camera e diedi istruzioni di non disturbarmi per alcun motivo. Appoggiai il sacchetto della farmacia sul tavolo da lavoro e mi voltai a fissare il grande vecchio armadio di legno scuro che da sempre copriva l'intero muro accanto all'entrata. Era dal momento stesso in cui avevo poggiato le membra sul sedile posteriore dell'auto che pensavo agli anfratti di quell'armadio, e al luogo dove poteva nascondersi un lontano e improvvisamente indispensabile oggetto della mia infanzia. Ero convinto di averlo rivisto nel corso degli anni, ma riflettendoci bene non potevo giurare che non fosse semplice suggestione.

Pensai che potesse essere in uno degli scatoloni in cima all'armadio, dove via via col passare del tempo avevo fatto sistemare parecchie mie chincaglierie. Chiamai Maria e dissi di farmi portare una scala. Quando Riccardo si presentò alla porta mi domandò se avessi bisogno di una mano, ma dissi che non c'era bisogno, e appena tirata la scala in camera richiusi la porta.

Dentro le scatole in cima all'armadio c'erano vecchi balocchi di latta, inviti di prime comunioni, coltelli spuntati, rulli di film, calcolatori meccanici, orologi, penne sporche, brandelli di stoffa, lettere, occhiali da sole rotti, batterie ossidate, radioline, torce, guanti spaiati... Ma di lui nessuna traccia.

Frugai in ogni angolo dell'armadio: dietro i vestiti ormai smessi, dentro e in mezzo alle vecchie scarpe, sotto i calzini bucati e i fogli e le fotografie. Stavo già disperando, quando improvvisamente mi parve di scorgerlo nell'angolo del secondo cassetto all'estrema destra dell'armadio, pieno anch'esso di vecchie cianfrusaglie e dei prodotti con cui un tempo mi ero convinto di voler stampare le fotografie, prima di scoprire che l'unica cosa che mi eccitava era il lento comparire dell'immagine e comprarmi dunque una Polaroid. Se ne stava lì, nell'angolo, di taglio, incastrato dietro una bottiglia opaca di fissante: quell'astuccio di pelle che a undici anni mio padre mi aveva regalato per Natale. Ricordavo con grande esattezza il senso di frustrata rassegnazione con cui anche quell'anno mi ero trovato a dire «Grazie, babbo, è molto bello». Per l'ennesima volta mi ero intestardito a voler fare per Natale una precisa richiesta: quell'anno era stato un microscopio. Due anni prima era stato il piccolo chimico, l'anno precedente un complesso girarrosto e un mappamondo, con cui volevo costruire un sistema planetario semovente, e il successivo un telescopio da camera. Ne avevo ricevuto un prezioso coltello a serramanico, un paio di sci con cui in appena due ore avrei reso evidente a tutti che ero ben lontano da qualunque genere di ideale atletico, e infine, al posto del telescopio, un pesante fucile ad aria compressa. «Il tuo primo fucile» aveva detto il babbo mentre lo scartavo, dopo essermi per un attimo illuso che quella lunga scatola potesse davvero nascondere ciò che avevo richiesto. Mentre quella volta osservavo nelle mie mani l'astuccio di pelle nera, pur già rimpiangendo il microscopio che avevo chiesto, mi ero per un attimo detto che forse all'interno si trovava comunque qualcosa in grado di interessarmi. Avevo schiacciato la piccola apertura a scatto e mentre speravo di vedere, che ne so, delle penne e delle matite e delle squadrette con cui se non altro potermi dedicare a qualche disegno geometrico, era apparsa una serie di piccoli cacciavite e chiavi regolabili e brugole.

«La tua prima cassetta degli attrezzi» aveva detto il babbo con malcelata soddisfazione.

Adesso, mentre seduto al tavolo sfilavo dai piccoli elastici i vari attrezzi e vi inserivo dentro i bisturi e due o tre esemplari di ogni lama, ripensando a quel profondo, infantile scoraggiamento, fui colto a sorprendermi di quanto, nella prospettiva del tempo, insormontabili differenze non si trasformino in ridicole sfumature, banali giochi d'ombra di una luce spostata appena di qualche scheggia di grado. D'un tratto mio padre sembrava poter non essere quel misterioso individuo che ogni anno mi regalava stupidi oggetti di cui non avrei saputo che fare, ma un signore abbastanza saggio da sapere che l'unica cosa che davvero lega due uomini è il groviglio di meccanismi e strumenti con cui si mettono in relazione con il mondo che li circonda. Nella mia puerile ingenuità avevo dato per scontato che fosse il contenuto che contava, senza accorgermi che invece era l'involucro. Improvvisamente, davanti all'astuccio aperto sul tavolo e ai sei bisturi inseriti dentro a brillare sotto la lampada da lavoro, era evidente che, con quasi trent'anni di anticipo, il babbo mi aveva davvero regalato la mia prima cassetta degli attrezzi.

«Incidi me.»

Solo questo, due semplici parole atterrate come piombi sulla superficie del mio materasso, in una sera qualunque.

La verruca pareva ormai essersene andata. Già da qualche giorno sul fondo di quello che poche settimane prima era un piccolo cratere, aperto via via in uno sconnesso campo di battaglia, era apparso un nuovo strato rosa di pelle che aveva tutta l'aria di un prato a primavera. Gli ultimi atti della battaglia erano stati, come sempre, i più duri e dolorosi. Pian piano, sotto alla ributtante materia spugnosa, era apparsa quella che pareva essere la verruca vera e propria, una creatura biancastra e grinzosa spalmata sull'ultimo strato di epidermide, intenta a fissarmi con una manciata di occhi rossastri. Quando l'avevo scoperta per la prima volta, ero stato preso da un nauseante senso di repulsione e una rabbia incontrollabile. L'accesso di ira e il disgusto mi avevano fatto raccogliere di fretta la boccetta di acido salicilico e spalmarne sopra una quantità eccessiva. Mentre il piede iniziava a bruciare, per un attimo mi era parso quasi di sentire il grido di dolore di quel mostro schifoso. In breve però il bruciore era divenuto insopportabile e dopo aver atteso per qualche istante che svanisse, stringendo nei pugni le coperte, alla fine mi ero dovuto risolvere a inumidire una garza e ripulire il piede dall'acido. Non potevo negare di aver intuito in quegli orribili occhi rossi l'ombra di un sorriso. Nei giorni seguenti avevo tuttavia trovato la pazienza di cospargere la zona della giusta quantità di acido e meno di una settimana più tardi, sul fondo del campo di battaglia, là dove un tempo si era stabilita la verruca, era ricomparso uno strato uniforme di pelle rosa e apparentemente sana.

Io e Livia eravamo stesi sul letto. Livia aveva sentito il desiderio di qualche effusione e avevo pensato di acconsentire. Venivamo da un periodo di grande lavoro e avevo notato che le nostre effusioni erano aumentate in proporzione piuttosto regolare. La scoperta delle diverse lame da bisturi aveva trascinato entrambi in una profonda eccitazione. Ogni giorno uscivo di casa con ai piedi un paio di scarpe comode e in tasca l'astuccio nero. Vagavo in giro senza meta, fino a quando non vedevo qualcosa di interessante da incidere. Portavo anche a tracolla un tubo da architetto allungabile, in cui potevo all'occorrenza avvolgere qualunque misura di intaglio. Un paio di volte Livia aveva deciso di accompagnarmi. Era sorprendente come una persona con un tale gusto per il confezionamento riuscisse a provare interesse per dettagli tanto banali. Si eccitava di continuo per oggetti privi della benché minima attrattiva e dopo la seconda volta ero stato costretto a chiederle di restare a casa.

Era stato un periodo estremamente prolifico: allo stato dei fatti il più prolifico di tutti. In poche settimane avevo inciso decine di oggetti di tutte le specie e dimensioni. Quelli che preferivo, o che mi riempivano di maggiore soddisfazione, erano un cassonetto, un estintore, il becco di una fontana, dei manifesti pubblicitari appiccicati uno sopra l'altro e mezzi strappati, il cucchiaio di una ruspa, un guanto di pelle abbandonato e una vecchia bicicletta appoggiata da una parte in una zona poco raccomandabile della città, i cui dettagli mi avevano procurato diversi grattacapi e tensioni, allungando il lavoro fino a notte fonda, con il rischio, in un paio di occasioni, di essere visto e malmenato.

Portavo gli intagli a casa e, quando arrivava, li mostravo a Livia. Lei li osservava con attenzione alla luce del tavolo, o stesi sul pavimento se non ci stavano, e decideva la loro sistemazione. Aveva preso a installarne più di due al giorno. In breve la stanza si era riempita di cornici di ogni forma e dimensione, fino a rischiare di esaurire tutto lo spazio disponibile. Avevo chiesto dunque a Maria e Riccardo di liberare quella che un tempo era stata la stanza dei giochi mia e di Nina e l'avevo usata come deposito.

Un giorno Livia si era presentata alla mia porta con a fianco un bizzarro personaggio con dei larghi folti baffi e un papillon rosso.

«Questo è il signor G.» mi aveva detto Livia. «È venuto a vedere i quadri.»

«I che?»

«I quadri» mi aveva ripetuto Livia sgranando gli occhi e poi voltandosi sorridendo verso quel buffo individuo. «Scusalo, ti avevo detto che era un tipo particolare.»

Il buffo signore non aveva detto niente e io per un attimo mi ero domandato com'era accaduto che fossi io quello particolare.

«Allora?»

«Allora che?»

«I quadri» aveva sgranato ancora gli occhi Livia. «Di là nell'altra stanza.»

«Ah, i quadri.»

Non capivo bene perché Livia d'un tratto avesse deciso di chiamare "quadri" i nostri intagli, ma se a lei piaceva così non ci trovavo niente di male.

Avevo chiesto permesso e avevo guidato Livia e il buffo signore intorno allo scalone, fino alla porta della mia vecchia stanza dei giochi. Quando eravamo entrati, Livia aveva raggiunto di fretta le cataste di intagli incorniciati e aveva preso ad allargarli e spargerne alcuni lungo tutti i muri della stanza.

«Su, dammi una mano» aveva bisbigliato sgranando di nuovo gli occhi.

Non sapevo bene cosa dovessi fare, ma fortunatamente Livia si era premurata di darmi istruzioni precise su quali intagli estrarre dalla pila e dove metterli. Quando tutte le pareti si erano riempite di intagli incorniciati, tranne quella della porta d'ingresso, vicino a cui si trovava il bizzarro signore, Livia si era fermata e si era avvicinata al suo amico.

«Poca luce» aveva detto il signor G. dopo qualche secondo.

«Apriamo le finestre» aveva suggerito Livia, poi mi aveva afferrato il gomito e mi aveva spinto leggermente in avanti, indicando con il mento la parete opposta con le due grandi finestre oscurate dalle persiane verdastre.

«Io?»

«Eh.»

«Ma io non le ho mai aperte quelle finestre. Chiamo Maria.»

Mentre uscivo il signor G. mi aveva fissato per un attimo con quella che mi era parsa un'impercettibile piega di sorriso.

Maria mi aveva preceduto nella stanza chiedendo sommessamente permesso e si era avviata verso la finestra di destra. Era stata costretta a spostare l'intaglio incorniciato di un'abat-jour mezza rotta e con il paralume piegato che avevo trovato su un marciapiede accanto a un cassonetto dell'immondizia. Per inciderla avevo dovuto prenderla e portarla poco lontano in un parcheggio, tra due auto che avevano tutta l'aria di essere ferme da tempo. Una volta finito avevo inciso anche il muso della macchina, visto di fianco, completo di gomma, paraurti e tutto il resto. Montato nella cornice mi aveva deluso. Dell'abat-jour invece ero piuttosto soddisfatto.

Per aprire le persiane Maria era stata costretta a sporgersi fuori, fino a staccare i piedi da terra, e mi ero augurato che non cadesse di sotto. Aveva poi risistemato gli intagli al loro posto e si era congedata in silenzio.

Il signor G. aveva fatto tre passi fino in mezzo alla stanza e si era fermato a osservare con calma ognuno degli intagli, lentamente e senza dire nulla. Finito il giro era andato verso la pila degli intagli non esposti e li aveva studiati scostandoli uno dall'altro.

Era dunque tornato verso di noi.

«Molto bene. Io adesso andrei.»

Livia l'aveva guardato e aveva sorriso. Non avevo mai visto Livia tanto intimidita.

«Che ne dici?»

Il volto del signor G. non si era scomposto in alcuna sfumatura di espressione.

«Un lavoro minuzioso. Riferirò a Maddalena.»

Livia era parsa delusa. Aveva abbozzato un sorriso, aveva annuito e ci aveva anticipati verso la porta. Eravamo scesi al piano inferiore uno in fila all'altro, tutti e tre con la mano appoggiata alla larga ringhiera di legno delle scale, ma ognuno, credo, per motivi diversi. Arrivati dabbasso, Riccardo si era presentato con i vari soprabiti. Il signor G. si era infilato un cappotto di cammello e un cappello di feltro verde smeraldo.

«Arrivederci» mi aveva detto allungando la mano. «Affascinante abitazione.»

Sparito oltre il portone, Livia si era voltata e aveva preso anche lei il suo cappotto.

«Vabbè, vado anche io» aveva detto con un'inconfondibile sfumatura di sconforto, poi mi aveva mollato un bacio su una guancia e se ne era andata. Avevo aspettato che Riccardo chiudesse il portone, lo avevo guardato, avevo alzato un momento le spalle ed ero ritornato nella mia camera. Più tardi avevo invitato Maria a chiudere nuovamente le persiane della stanza dei giochi.

Livia non si era fatta sentire per diversi giorni. Mi aveva chiamato quasi una settimana più tardi, molto eccitata.

«Maddalena vuole vedere i quadri. Domani alle quattro. Quindi fai aprire le finestre ed esponili bene. Anzi, no, vengo io, di te non mi fido. Di' anche di preparare un tè. I biscotti li porto io, i vostri non mi piacciono. Fai una cosa: tu sistema i quadri come l'altra volta, io vengo un'oretta prima e controllo che sia tutto a posto. Alle quattro. Cioè: loro vengono alle quattro, io alle tre. Ah, il tè: nel salotto grande, giù. Fai aprire e spolverare anche quello. Alle quattro. Cioè: *per* le quattro. Hai capito?»

«Sì, ho capito, alle quattro.»

«Loro alle quattro, io alle tre.»

«Sì, alle tre.»

«Molto bene, a domani.»

E aveva attaccato.

Tutta quella eccitazione mi aveva disorientato, e non ero del tutto convinto di gradire questo gran viavai dalla mia casa.

In ogni caso, Livia il giorno dopo era stata molto soddisfatta. Per prima cosa era andata a controllare il salotto, che era già stato aperto e spolverato e areato bene, come del resto veniva fatto tutte le settimane. Era andata in cucina, aveva lasciato sul tavolo centrale di marmo il vistoso pacco color pesca della pasticceria e aveva detto a Maria di disporre per favore i biscotti su un bel piatto, possibilmente in pendant con il servizio da tè. Avevo dunque seguito Livia al piano di sopra ed eravamo entrati nella vecchia stanza dei giochi, anch'essa disposta come da istruzioni. Fuori c'era un caldo sole autunnale che rendeva la luce ancora più gradevole.

«Molto bene» aveva detto Livia mentre si guardava intorno sovrappensiero. «Molto bene... certo forse...»

Era andata verso l'intaglio dell'estintore, l'aveva portato verso la parete di destra e l'aveva scambiato con quello dell'ombrello verde. Aveva fatto qualche passo indietro e si era guardata bene intorno. D'un tratto era andata a mettere l'intaglio dell'ombrello sotto la finestra, al posto di quello dei cartelloni pubblicitari, e i cartelloni al posto della bicicletta. Era rimasta di nuovo ferma a guardarsi in giro e aveva infine scambiato la bicicletta con l'intaglio del cassonetto posto nell'angolo a sinistra. Impilato l'intaglio del cassonetto sugli altri scartati, si era messa a osservare il risultato.

«Manca qualcosa lì» aveva detto Livia dopo un po', indicando uno spazio mezzo vuoto tra la finestra di destra e le pareti. Si era voltata, era andata verso la pila di intagli scartati e aveva preso a scorrerli. Aveva infine tirato fuori quello di una carrozzina da neonato abbandonata e facendogli un po' di posto lo aveva messo nello spazio vuoto.

«Perfetto.»

Livia aveva però continuato a guardare gli intagli esposti senza muoversi.

«Eppure...»
Si era voltata e aveva lanciato un'occhiata alle nostre spalle, in basso, dove stavano, anch'essi impilati, gli intagli più piccoli. Ne aveva selezionato qualcuno, era andata verso le finestre e ne aveva messi tre su un davanzale e tre sull'altro, poi mi era tornata vicina ad ammirare la stanza.
«Ora sì.»
Il campanello aveva suonato alle quattro spaccate. Ci trovavamo in salotto e quando eravamo arrivati di là Riccardo aveva già la mano sulla porta. Dall'uscio era apparsa una piccola signora con indosso un vistoso cappotto viola e un cappello di piume nere.
«Buonasera, cara» aveva detto a Livia non appena ci aveva visti. «E questo dev'essere il famoso Teo. Sono davvero onorata di conoscerla. La sua famiglia è sempre stata mia ottima cliente.»
La seguiva il buffo signore con baffi e papillon, che si era limitato a stringerci la mano e annuire.
«Allora, vogliamo vedere queste grandi opere?»
«Ma certo» aveva detto Livia, e ci aveva anticipati tutti di nuovo al piano di sopra. Camminavamo ancora una volta in fila, ognuno con la mano sulla ringhiera di legno.
«Ecco» aveva detto semplicemente Livia una volta di fronte alla vecchia stanza dei giochi, invitando con il braccio aperto a entrare.
La piccola signora, il cui cappotto e cappello, lasciati dabbasso a Riccardo, avevano scoperto un tailleur zebrato e un improbabile taglio di capelli con sfumature prugna, aveva camminato fino in mezzo alla stanza e si era guardata intorno annuendo.
«Certo. Sì, sì, vedo... Certo, senza dubbio.»
Dopo appena un minuto si era voltata e aveva sorriso unendo rumorosamente le mani.
«Ottimo, vogliamo bere qualcosa?»
Livia era parsa di nuovo un po' delusa.
«Certamente. Abbiamo fatto preparare del tè.»
«Splendido.»
Avevamo ripreso quindi la via delle scale, sempre in fila indiana

come soldati. Una volta seduti sui grandi divani, mentre Maria ci versava il tè, la piccola signora ci aveva proposto di fare una mostra.

«Davvero?» aveva sorriso Livia aveva come una ragazzina che non riconoscevo.

«Cara Livia, non attraverso la città e salgo due rampe di scale se non ho l'impressione che ne valga la pena. Il professor G. era stato piuttosto esplicito riguardo alle opere di Teo e come al solito mi trova in completo accordo.»

Il signor G., improvvisamente promosso professore, era rimasto fermo al suo posto senza fare una piega.

«Dunque non ci resta altro che decidere quando e organizzare la mostra» aveva continuato Maddalena, con la tazza del tè in una mano e il piattino nell'altra. «Che ne dice il nostro caro Teo?»

Tutti mi fissavano. Mi sentivo molto a disagio.

«Non saprei.»

Maddalena era scoppiata a ridere.

«Ah, la modestia degli artisti... che splendida e noiosa virtù. Caro Teo, mi perdoni ma è ingenuo. Niente di quello che facciamo è nostro. Appartiene al mondo. Solo l'azione è nostra, ma si dissolve nel compierla. Perché dunque non abbandonarsi allo stato delle cose e permettere che le opere vengano mostrate?»

Non ero convinto di condividerla, ma la logica di quella piccola signora zebrata era intrigante, dunque avevo deciso di fare come voleva.

Lo straordinario e a dire il vero piuttosto incomprensibile accesso di felicità di Livia nell'udire la mia decisione mi aveva preoccupato non poco, ma per un attimo mi aveva suggerito di aver fatto la cosa giusta.

Era iniziato così un periodo alquanto fastidioso di grandi preparativi, a cui io per fortuna non prendevo parte, ma che in ogni caso turbavano continuamente le mie giornate.

Livia si era presa completamente carico al posto mio di tutto ciò che occorreva per l'organizzazione della mostra, ma questo significava altresì che non aveva più tempo per incorniciare i miei intagli. Dopo qualche giorno, quindi, consapevole che gli oggetti raccolti sarebbero finiti insieme agli altri in quella grande cartella nera da poster che avevo acquistato tempo prima, mi era pure passata la voglia di incidere. Tra l'altro, se non montati rapidamente, gli intagli perdevano buona parte della loro elasticità e brillantezza.

Ero caduto dunque in una leggera ma affilata apatia, che si era protratta fino alla sera dell'inaugurazione della cosiddetta mostra. Livia mi aveva obbligato a farmi cucire un nuovo abito scuro dal sarto, con finissime e strette righe azzurre. Era un bell'abito. Non l'ho mai indossato. Mi ero trovato davanti allo specchio della mia stanza, in mutande e pedalini. Improvvisamente mi ero immaginato stretto in quell'abito, sotto le fastidiose luci di un luogo che non conoscevo, con intorno persone che mi facevano domande a cui non sapevo come rispondere. E, semplicemente, ero restato a casa.

Un paio d'ore più tardi, mentre gozzovigliavo sul divano, incapace di rilassarmi a dovere, avevano bussato alla porta della mia stanza. Era Nina.

«Oh.»

«Ciao.»

«Che fai?»

«Non so. Come mai sei qui?»

«Livia mi ha mandato a cercarti. È molto scocciata. Tutti ovviamente ti cercano.»

«Com'è?»

«Bello. Non sono male.»

«Che cosa?»

«I quadri.»

«Mah. Soprattutto non credevo che fossero quadri.»

Nina mi aveva gettato un'occhiata e aveva alzato le spalle.

«La verruca?»

«Andata. Con fatica ma è andata. Il tuo gruppo di giardinaggio?»

«Ho deciso di passare a uno di ceramica.»

L'avevo guardata con sorpresa.

«Hai comprato il tornio?»
«Sì.»
«E com'è?»
«Gira.»
Avevo annuito.
«Come sei venuta?»
«A piedi.»
«Hai ripreso a camminare?»
«Qualche volta.»
«Non è male.»
«No, non è male.»
Avevamo annuito entrambi ed eravamo rimasti qualche istante in silenzio.
«Andiamo giù?»
«A fare che?»
«Boh, una coppetta di gelato.»
Mi ero tirato a fatica su dal divano ed eravamo scesi in cucina. Maria ci aveva versato un cucchiaio di gelato alla crema e uno ai frutti di bosco in due coppette trasparenti. Era mamma che comprava sempre il gelato. A me era sempre piaciuta esclusivamente la crema, a Nina esclusivamente i frutti di bosco. Ci mettevamo lì al tavolo come in quel momento, ogni giorno, e mangiavamo ordinatamente una coppetta. Di solito, dopo, a Nina veniva voglia di fare dei giochi di ruolo, a me no. Maria ci aveva detto che era bello riaverci entrambi lì. Nina mi aveva raccontato della consistenza dell'argilla. Aveva detto che ancora non la comprendeva, era più tenace di quanto avesse immaginato. Le avevo domandato anche come andava con Paolo, che non vedevo da qualche tempo.
«È un po' noioso» aveva detto.
Qualche ora dopo, mentre stavo ormai già per andare a letto, avevano suonato alla porta. Riccardo e Maria si erano ritirati ed era toccato a me andare ad aprire. Era Livia, sembrava molto contrariata. Mi aveva detto che ero uno stupido.
«Non ho mai sostenuto il contrario.»

Lei mi era saltata al collo e mi aveva abbracciato.

«Non importa, tutti parlavano lo stesso di te. Erano felicissimi e facevano un sacco di complimenti.»

Mi ero domandato complimenti per cosa, ma Livia era talmente eccitata che mi ero detto di non indagare. Avevo pensato anche ai miei intagli, laggiù in qualche luogo lontano da me. Avevo immaginato di intrufolarmi di nascosto e inciderli nuovamente e riportarli a casa. Sarebbe stato molto divertente. Chissà se sotto l'intaglio di un intaglio si trovava comunque quella bizzarra zona buia e cristallina.

Ed ecco quelle due irrimediabili parole, lì mezzi stesi sul letto dopo una delle nostre effusioni.

«Incidi me.»

Avevo appena finito di dire che prima o poi mi sarebbe piaciuto intagliare una figura umana, ma che non sapevo come fare. Osservai meglio Livia, coperta appena dal lenzuolo.

«Dici davvero?»

«Certo.»

«Non so.»

«Perché non sai?»

«Perché sei tu, credo.»

«Be', non lo saprai finché non ci provi.»

«E poi chi ti incornicia?»

«Tu. Ho già pensato a tutto.»

«Hai già pensato a tutto?»

«Sì, ho già pensato a tutto.»

«E quando?»

«Negli ultimi tempi. Dopo la mostra. Quando ho visto i quadri là in quella stanza, ognuno illuminato da un suo faretto, ho pensato che non desideravo altro al mondo. Sono opere vive, e finite, capisci? Non ho mai provato un simile senso di pace in tutta la mia vita. Non voglio altro. Voglio solo stare in una cornice, sotto uno di quei faretti, con la gente che mi osserva ma che non mi può fare domande.»

«Non so» scossi ancora la testa.

«Ho pensato a tutto. Ho trovato la cornice e il velluto per lo sfondo. E vorrei essere incisa nuda e stesa di fianco sul divano.»

«Quale divano?»

«Quello che c'è di là nell'altra stanza.»

«Quello di là dal muro, davanti al tavolo?»

«Sì, quello.»

«E perché proprio quello?»

«Non so, mi piace, ho sempre avuto l'impressione che mi appartenesse.»

Non posso negarlo: la cosa mi eccitava molto. Da tempo ormai desideravo incidere un corpo animato, ma mi scontravo continuamente con l'impossibilità di realizzare il progetto. Avevo anche contattato due modelle professioniste, che però erano parse riluttanti.

«È un nudo?» mi aveva domandato una per telefono.

«Come desidera, signorina.»

«Che vuol dire "come desidera"? È un nudo o non è un nudo?»

«Non ha molta importanza, l'importante è che stia perfettamente immobile, sennò si rischia di sciupare tutto il lavoro.»

«Mi scusi, ma cosa deve fare?»

«Inciderla.»

«Incidermi?»

«Sì, inciderla.»

«Incidermi con cosa? Non capisco.»

«Un bisturi.»

Avevo sentito dire qualcosa da lontano, poi il suono di occupato del telefono. Anche la seconda modella dopo qualche breve scambio aveva improvvisamente riagganciato. Era chiaro che le probabilità che qualcuno acconsentisse a farsi incidere erano molto scarse. Farlo di nascosto d'altronde era impossibile. Per un attimo avevo pensato di cogliere qualcuno nel sonno, ma il rischio che si svegliasse o si muovesse era comunque troppo alto.

La cosa mi frustrava ogni giorno di più, tanto che avevo perso interesse nella raccolta degli altri intagli. Già da un po' passavo buona parte delle giornate a cercare qualche soluzione e immaginarmi come poteva essere inciso un essere vivente e cosa avrei trovato sotto. C'è dunque da immaginarsi come era calata su di me la proposta di Livia. Non ero convinto di voler cominciare proprio da lei, ma il suo irrefrenabile entusiasmo e la mia ormai insopportabile frustrazione avevano in realtà fatto sì che dal primo secondo avessi sentito suonare delle gran campane a festa.

Livia si occupò di ordinare la cornice e farci montare dentro un piano foderato di velluto rosso scuro. Un giorno si presentò pure alla porta della mia stanza seguita da due signori in tuta da lavoro che trasportavano una grande e molto sottile scatola di cartone. Livia disse di appoggiarla da una parte, ringraziò i signori e chiuse la porta alle loro spalle.

«E questa?» domandai.

«È uno specchio. Non avrai mica pensato che mi lasciassi mettere in posa da te, senza sapere cosa ne veniva fuori. Se devo scegliere il modo con cui essere ammirata, voglio essere sicura del risultato.»

L'idea di Livia era di lasciare il divano dov'era, spostare il tavolo da lavoro e accostare alla parete il grande specchio, in modo che lei si potesse osservare e decidere la posa perfetta.

Aveva scelto una classica cornice dorata, spessa una quindicina di centimetri, molto lavorata. L'oro e il rosso del velluto sembravano in effetti intonarsi bene al colore della sua pelle e dei suoi capelli. Cercò di spiegarmi scrupolosamente come montare l'intaglio e mi fece pure fare qualche prova. Comprò dei ripiani coperti di velluto della stessa esatta misura dell'originale e mi mandò fuori a cercare qualche intaglio che potesse ricordare la forma del suo corpo. La prima cosa con cui tornai fu una moderna lampada bianca da terra, che avevo trovato nell'angolo di un grande e deserto negozio di arredamento.

«E io somiglierei a questa?»

«C'era anche l'interessante anta di una porta, ma pensavo che ti saresti offesa.»

«Vabbè.»

Mi spiegò che prima bisognava centrare e posizionare bene l'intaglio, prendere dei riferimenti e fare dei piccoli segni con una matita per ritrovare la posizione. Dovevo poi voltarlo su un altro piano uniforme, stenderlo bene e con un pennello spalmare un sottile velo di colla molto liquida. Dovevo quindi far seccare la colla per una decina di minuti e infine riprendere l'intaglio, riposizionarlo al suo posto, controllare bene i riferimenti, stenderlo con cura, accertarmi che aderisse ovunque perfettamente e infine ricoprire tutto con un altro piano di legno che aveva preso apposta. L'ideale era coprire il piano con dei pesi – i libri sarebbero andati benissimo – per almeno un giorno.

Riportai anche l'intaglio di un minuscolo cipressino che avevo trovato in un parco e la sagoma a grandezza naturale di un'attrice americana, scovata in un negozio di dischi ed elettronica.

«Molto spiritoso» disse Livia.

Montare gli intagli mi riusciva piuttosto agevole. Mi divertiva pure.

Due volte di fila dovemmo annullare l'incisione: la prima per un piccolo brufolo, la seconda per una leggera allergia che irritava il naso di Livia. Pareva che dalla sera della mostra, in attesa dell'intaglio, Livia avesse preso a fare tutti i giorni bagni nel latte e in sali esotici e a passarsi sul corpo e sul viso ogni genere di prodotto. Girava soltanto con abiti chiusi fino al collo e indossava continuamente i guanti.

Riuscimmo finalmente un giovedì sera. Livia arrivò da me mentre ancora stavo a tavola, ma disse che non aveva voglia di mangiare.

«Ci siamo» aggiunse quando Maria fu uscita dalla sala da pranzo.

«Davvero?»

«Sì, tutto a posto.»

«Sei sicura?»

«Perché, vedi qualcosa che non va?»

«No, era così per dire.»

«Se vedi qualcosa rimandiamo.»

«Non vedo niente.»

Lei si mise una mano sul petto e sospirò.

«Meno male.»

Finito il gelato chiesi di prepararmi anche un caffè e dissi per favore quella sera di non disturbarmi per nessun motivo.

Salimmo in camera e appoggiammo lo specchio alla parete opposta al divano. Il tavolo lo avevo già fatto spostare nella stanza dei giochi dieci giorni prima, quando poi avevamo dovuto rimandare per il brufolo.

Livia prese a spogliarsi di là, vicino al letto, io mi infilai un paio di guanti, montai una lama nuova su ogni bisturi, li ordinai su un tavolino che mi ero fatto portare su dal salotto e accostai al divano un basso panchetto acquistato apposta in un negozio indiano. Quando Livia comparve da dietro l'armadio, completamente nuda, mi ordinò subito di levare il panchetto e il tavolino, voleva vedersi bene nello specchio senza niente intorno. Si stese sul fianco destro e mi disse di spostare leggermente lo specchio, in modo da vedere anche i bordi del divano. Provò a mettersi sulla pancia, con il mento poggiato sulle mani e la testa di tre quarti, poi incrociò le braccia, vi sdraiò sopra la testa e tirò su i talloni come una ragazzina, ma non era soddisfatta. Si mise di nuovo su un fianco e posò la tempia sulla mano. Spostò i capelli indietro. La gamba sinistra, vagamente piegata, copriva appena quella destra e mostrava solo una porzione di pube. Il seno destro si appoggiava al divano e quello sinistro scendeva leggermente verso il destro, dando a tutto il busto un gradevolissimo movimento. Sembrava avere gli occhi più grandi del solito.

«Che ne pensi?» domandò gettandomi un'occhiata.

«Perfetto.»

«Dici?»

«Senza dubbio.»

Livia mi fissò un secondo e abbozzò un leggero sorriso, poi tornò a guardarsi allo specchio.

«Procedo?»

Lei annuì appena senza dire niente e per un attimo mi parve che le si inumidissero gli occhi. Avvicinai il tavolino e il panchetto al divano, sulla sinistra, vicino al volto e al braccio piegato. Sarei partito dal basso, dal gomito. Il punto di entrata era scuro e preciso. Sarei potuto salire con comodità fino alla testa e, una volta scaricata la prima tensione, ancora fresco e riposato, mi sarei potuto occupare della parte più complessa, i capelli. La pelle liscia e depilata di Livia avrebbe reso il resto del lavoro lungo ma facile. Pensai di partire con uno dei bisturi ricurvi: entravano molto facilmente, quasi come una siringa, e riuscivano a tenere con più precisione le linee dritte. Raccolsi il più piccolo dei due e, per l'ultima volta, guardai Livia negli occhi.

«Sei pronta?»

Sembrava avere improvvisamente lo sguardo di una bambina. Annuì di nuovo senza dire niente.

Mi avvicinai alla parte inferiore del suo gomito. Sentivo delle violente scariche di eccitazione, e anche un certo timore.

«Ti amo» disse Livia. Mi guardò e sorrise ancora. Sembrava quasi una richiesta di aiuto. Non sapevo bene come replicare.

«Sì» risposi. Livia sorrise di nuovo. «Posso andare?»

Annuì e tornò a fissare lo specchio alle mie spalle.

Mi riavvicinai al gomito e attesi qualche secondo, per essere sicuro che Livia non si muovesse di nuovo. Affondai dunque la punta del bisturi nella base del gomito. Entrò come previsto molto facilmente. Girare intorno al gomito e salire lungo il braccio era molto scomodo: mi alzai in piedi e mi piegai a libro, quasi come se pendessi dal soffitto. In effetti, così, salire lungo il braccio fu molto più semplice. E quando infine ebbi percorso un pezzo di mano, riuscii a mettermi di nuovo a sedere e a concentrarmi sui capelli. Decisi che la cosa migliore era procedere pian piano, con la stessa misura di bisturi che avevo utilizzato per curarmi la verruca. Dall'incisione sul braccio di Livia si iniziava già a intravedere la bizzarra e cangiante zona oscura, che pareva a prima vista identica a quella di qualunque altro oggetto. I suoi occhi parevano guardare un punto ben più lontano dello specchio. Preferivo non farci caso.

I capelli meritarono in effetti grande attenzione, in un paio di occasioni anche la necessità di amputarne qualcuno solitario e sbilenco. Tuttavia, l'uniforme e fitta pettinatura di Livia, peraltro nascosta in gran parte dietro le spalle, rese l'operazione più agevole del previsto. Intagliare la bicicletta era stato enormemente più complesso, e più scomodo. Superati i capelli, il resto del corpo fu una passeggiata. A dire il vero, tranne i piedi, era talmente semplice che l'unica vera difficoltà era costringersi a non farsi prendere troppo la mano e rischiare così di fare un errore. La mia meticolosità e la mia dedizione non permisero tuttavia di farsi granché trasportare.

Stupidamente non avevo intagliato subito la porzione di sfondo che si intravedeva all'interno del gomito piegato, quando la superficie era ancora tesa. Dovetti stendere la sagoma di Livia prima sul piano di legno, che avrei poi usato per spargere la colla, e pian piano terminare l'incisione. Per un attimo pensai di gettare il pezzo in avanzo, poi per fortuna decisi di conservarlo.

Appoggiai dunque sul pavimento il piano di velluto rosso incorniciato e ci stesi sopra la sagoma di Livia. Non riuscivo a pensare che fosse lei né a vederne i dettagli e le sfumature; riuscivo solo a vedere una sagoma da centrare in una cornice. Sembrava galleggiare sul velluto rosso, sospesa e fluttuante in un mondo più morbido e nitido. Dopo qualche aggiustamento fui soddisfatto della posizione. Raccolsi la matita e praticai una serie di segni in corrispondenza di piedi, ginocchi, spalle, gomiti, orecchio sinistro e fianchi. Per un attimo mi domandai se non sarebbe stato meglio procedere al contrario, disegnando tutta la sagoma e applicando la colla direttamente sul velluto, ma era troppo tardi per provare e in ogni caso mi fidavo dell'esperienza di Livia. Risollevai la sagoma, la stesi a capo all'ingiù sul piano di legno, avvicinai la colla e il pennello e facendo molta attenzione ve ne spalmai sopra un velo uniforme. Lasciai seccare e controllai l'ora. Mezzanotte e quarantatré. Mi cadde l'occhio sul divano. Al posto della sagoma di Livia si trovava quella profonda e sfrigolante materia oscura. Chissà se quello, in fin dei conti, era ciò che nascondeva ognuno di noi. Mi accostai e guardai meglio. Ogni volta era come la prima: ti avvicinavi e venivi rapito, risucchiato quasi. Un po' come guardare il fuoco, o l'acqua, ma ancora più potente. Non era solo qualcosa di ipnotico, era anche una vertigine, un sottilissimo ma irresistibile desiderio di abbandonare tutto e sprofondarci dentro. Un luogo dove parevano sgretolarsi tutte le domande, senza drammi e senza dubbi.

Mi persi, ed erano già volati dieci minuti buoni. Raccolsi di fretta la sagoma di Livia e facendo molta attenzione a non sbaffare la colla e sporcarmi, partendo dai piedi la adagiai all'interno dei suoi riferimenti, assicurandomi soprattutto di non sporcare di colla il resto del velluto. Fui piuttosto abile. Una volta adagiata tutta la sagoma la stesi bene fino a raggiungere, e possibilmente nascondere, i piccoli segni di riferimento. La particolare consistenza della sagoma mi era molto d'aiuto. Passai infine le mani sopra per spianare bene ovunque e mi alzai per controllare il risultato. Sembrava un ottimo lavoro. Incrociai quelli che fino a poche ore prima erano gli occhi di Livia e mi venne voglia di stare lì per un po' ad ammirare l'opera, ma mi ero ripromesso di farlo solo a lavoro finito, quando la colla avesse tirato e la cornice fosse stata su una parete. Raccolsi dunque il piano di legno che avevo usato per stendere la colla sulla sagoma, lo appoggiai all'interno della cornice e lo coprii uniformemente di libri.

Mi misi a sedere in terra, le spalle appoggiate allo specchio, a riprendere un po' di fiato. Osservavo il divano e quella sagoma buia al suo interno, in cui si riconoscevano le forme di Livia, la curva del suo fianco e del suo zigomo, la piega dei suoi capelli. Per un attimo quel divano rossastro con quella profonda sagoma quasi adagiata sopra mi parve la cosa più splendida e struggente che avessi mai ammirato. Mi domandai se quella, in fin dei conti, non fosse davvero Livia, se quello non fosse ognuno di noi.

Senza pensarci, e senza un percettibile attimo di dubbio, mi alzai, raccolsi nuovamente il bisturi e presi a intagliare anche il divano. Fu paradossalmente più complesso che intagliare la sagoma di Livia. Sì, anche il divano aveva lunghi tratti lisci, ma poi si increspavano spesso intorno a una cucitura o nei pressi di un bottone. Da che avessi memoria, quel divano era sempre stato lì. Doveva essere appartenuto a qualche mio avo. Anche la stanchezza non aiutava: l'eccitazione mi teneva sveglio con evidenti scariche di adrenalina, ma gli occhi erano pesanti e molta della mia energia era spesa a mantenere la concentrazione.

Quando terminai, dalle stecche delle persiane si iniziava a intuire della luce. Arrotolai ben stretta la sagoma del divano e la inserii nel tubo da disegno completamente allungato. Prima di richiudere ci infilai dentro anche il pezzo preso dall'interno del braccio di Livia, che per fortuna non avevo né gettato né sciupato.

Il grande buco lasciato dal divano sembrava in tutto e per tutto uguale al nero lasciato da Livia e ogni altro oggetto. Per coprirlo pensai di adagiarci sopra il grande specchio che Livia aveva acquistato per controllare di essere nella posizione giusta. Al posto dello specchio avrei poi rimesso il tavolo.

Mi lasciai dunque cadere sul letto così com'ero, la luce che ormai varcava di forza le stecche delle persiane, e sprofondai in un sonno molto buio e molto denso.

Quando mi svegliai, dopo essermi fatto una lunga doccia e aver consumato dabbasso un'abbondante colazione, dissi a Riccardo di portarmi dallo stesso corniciaio dove un giorno aveva accompagnato d'urgenza Livia a ritirare un pacco.

Era una bottega all'apparenza piccola e polverosa, con cornici accatastate una sull'altra senza grande ordine, che però nascondeva alle sue spalle un cortile e di fianco un grande laboratorio, ben più ordinato e luminoso. Quando entrai, una campana rintonò con gran baccano e dopo pochi istanti comparve dalla porta in fondo un omino che pareva essere stato tutto disegnato con il compasso: gambe tonde, busto tondo e testa tonda. Sotto il capo pelato portava una rada barba scura.

Dissi di essere un amico di Livia, ma il signore rotondo non parve molto interessato. Dissi che avevo bisogno di una cornice, gli passai un bigliettino con le misure e aggiunsi che sarebbe dovuta essere come l'ultima che aveva fatto per Livia, ma il piano sarebbe dovuto essere di velluto blu, o nero.

«Io non faccio piani» disse l'omino rotondo mentre attraversava la bottega e scostava due cornici da una pila. «Ecco, è questa.»

«Sì, è questa.»

«Domani l'altro è pronta. La ritira lei o gliela dobbiamo consegnare?»

«Consegnare, grazie. Allo stesso indirizzo dove ha portato tutte le altre.»

«Bene, arrivederci. Pagamento alla consegna, e ci sarebbero un paio di sospesi.»

«Certo, ci mancherebbe. E il piano?»

«Io non faccio piani.»

«Capisco. Ma...»

«A sinistra, in fondo alla strada. Dica che la manda Nando.»

E sparì di nuovo oltre la porta sul retro della bottega. Quel signore era spiccio come il suo corpo.

Venne fuori che il tipo in fondo alla strada era lo stesso che aveva fatto gli altri ripiani. Era molto meno rotondo. Decidemmo per un velluto blu scuro, e suggerì di stenderci sotto un secondo strato di panno, per renderlo più morbido.

«Abbiamo fatto così anche per il piano di velluto rosso.» Questo ovviamente fugò qualunque dubbio. A casa feci riportare il tavolo nella mia stanza. Dissi dunque di far venire sia l'imbianchino sia l'elettricista. Quando vennero, nel pomeriggio, li portai entrambi nella vecchia stanza dei giochi. Dissi a uno che la volevo ridipingere tutta, armadio compreso, di un colore più intenso e più scuro, tendente al rosso; e all'altro che volevo montare una serie di quattro faretti direzionabili paralleli alla parete libera più ampia. L'elettricista disse che non c'erano problemi e si mise d'accordo con l'imbianchino per quando venire a fare il lavoro, l'imbianchino disse che andava a prendere la cartella colori e tornava subito. Decidemmo di tentare innanzi tutto con un rosso mattone chiamato "Tomatenrot", sigla RAL 3013. Mi pareva un buon numero. Massimo, l'imbianchino, mi disse che in ogni caso avremmo potuto fare qualche prova. Sarebbe venuto anche lui domani l'altro. Domani l'altro sarebbe stato un giorno piuttosto intenso.

Il Tomatenrot si dimostrò un ottimo colore, molto vicino a ciò che mi ero immaginato. Anche Massimo sembrava molto soddisfatto. Quando la vernice fu asciutta, qualche giorno più tardi, l'elettricista venne a montare i faretti. Per appenderli al soffitto usò un lungo binario, così che se desideravo li potevo spostare in qualunque posizione. Mi parve un'ottima idea. Prima che se ne andasse gli chiesi se mi poteva dare una mano a mettere i ganci e appendere le cornici. Accettò volentieri e per ultima cosa sistemammo i faretti in modo che illuminassero bene entrambi gli intagli. L'elettricista disse che erano quadri molto belli. Lo ringraziai di buon grado. Dissi a Riccardo di saldare il conto e chiusi la porta alle loro spalle. Spensi quindi la luce centrale e andai a chiudere le persiane. Prima di guardare andai a mettermi bene al centro della stanza. Alzai dunque la testa.

Fui come investito da un potente fascio di particelle ad altissima frequenza, che sembrò spostarmi gli organi interni. L'oro delle cornici, illuminato dai faretti, brillava e si staccava in un'aureola di luce dal rosso profondo del muro. All'interno i velluti portavano le sagome di Livia e del divano come sul palmo di una mano. Gli occhi di Livia parevano, più che guardarmi, fissare un luogo sconosciuto e molto più distante. Parevano osservare qualcosa di simile alla zona buia all'interno del divano, da cui i miei occhi erano continuamente rapiti e facevano fatica a staccarsi. Non riuscii ad allontanarmene che fino a notte fonda.

La bizzarra ma in qualche modo affascinante fase delle domande imprecise iniziò così, con la nocca di Riccardo che batteva sulla mia porta. Gli intagli, dopo la perfezione del lavoro su Livia e il divano, avevano perso qualunque interesse. Lo trovavo un periodo molto liquido, e avevo riesumato da uno scaffale dei vecchi manuali di meccanica dei fluidi comprati anni prima in una libreria di testi usati, poco lontano da casa. Mi stavo concentrando soprattutto sull'idrostatica: l'idea del rapporto tra il liquido e la quiete mi affascinava molto.

Riccardo mi disse che dabbasso c'erano due signori in divisa che chiedevano di me.

«Due signori in divisa?»

«Sì, in divisa.»

«Bah, falli accomodare di sotto. Arrivo subito.»

Indossai un paio di mocassini e la mia giacca da camera e scesi.

Un carabiniere alto e cilindrico, con spalle larghe e mani molto spesse, stava osservando da vicino il grande arazzo appeso da decenni alla parete ovest del salotto.

Non appena varcai la porta, il carabiniere si voltò, mi sorrise e venne avanti con la mano protesa.

«Buongiorno. Maresciallo M., molto lieto.»

Aveva una dura bocca da operaio, circondata da una leggera barbetta, e due occhi molto chiari che parevano strappati a un altro volto. L'altro signore in divisa, molto più giovane e paffuto, se ne stava lì poco distante e mi fece appena un cenno con il capo. Entrambi tenevano il cappello di servizio incastrato sotto il braccio.

«Buongiorno» dissi stringendo la mano al maresciallo. «Vogliamo sederci?»

«Volentieri.»

«Desiderate qualcosa? Un caffè, un tè, pasticcini, brioche, pane e...»

«No, la ringraziamo, niente.»

Ci mettemmo a sedere sui grandi divani davanti al focolare spento, separati dal basso tavolo di ciliegio con sopra i giornali e i libri d'arte. Quando il giovane carabiniere si adagiò sull'angolo del divano, questo produsse un sinistro rumore che per un attimo mise tutti a disagio.

«Molto bello l'arazzo.»

«Sì, era di mio nonno. Lo riportò un suo amico dall'India. Gli doveva un favore, ma pare che mio nonno non fosse tanto convinto che l'arazzo lo ripagasse.»

«Be', è un gran bell'arazzo.»

«Si vede che era un gran bel favore.»

Il maresciallo sorrise e rimase un momento in silenzio.

«Mi dica, maresciallo.»

Mi gettò un'occhiata più profonda delle altre, poi calò lo sguardo da una parte e alzò le spalle.

«No, niente di che. Sto facendo semplicemente qualche domanda in giro riguardo alla possibile scomparsa di quella che presumo sia una sua conoscente, la signorina T. Dico bene?»

«Non saprei.»

«Cosa non saprebbe?»

«Se dice bene.»

«Cioè?»

«Per sapere se dice bene dovrei capire cosa mi sta dicendo.»

«Be', che la signorina T. è una persona di sua conoscenza.»

«Sì, allora dice bene.»

«Ottimo.»

Il maresciallo mi gettò un'altra di quelle sue occhiate profonde, poi di nuovo abbassò lo sguardo da una parte.

«Qualche giorno fa la madre ci ha segnalato che la signorina T. non si vedeva in giro da più di una settimana. Pare che la frequentasse piuttosto spesso. Saprebbe dirmi qualcosa?»

«Sì, diverse cose.»

«Per esempio?»

«Non so, mi dica lei: sia un po' più preciso, per favore. Ho molte cose da dire. Come ognuno, del resto.»

Il maresciallo alzò un sopracciglio.

«Le chiedevo se è vero che vi frequentavate piuttosto spesso.»

«Definisca "piuttosto spesso".»

«Non saprei. Diciamo più volte a settimana.»

«Sì, direi che più volte a settimana è corretto.»

«Ah, ottimo. E in questi giorni l'ha vista?»

«Certamente, ogni giorno.»

Il maresciallo parve sorpreso.

«Ah, e dove l'ha vista?»

«Di sopra.»

«Di sopra?»

«Sì, di sopra.»

«Nel senso al piano superiore di questa casa?»

«Sì, in effetti è più preciso, mi perdoni: al piano superiore di questa casa.»

«E la potrei vedere anche io?»

«Ci mancherebbe, con piacere.»

Mi alzai dal divano e anticipai il maresciallo e il suo appuntato fuori dal salotto e su per le scale. Prima di aprire la porta della stanza dei giochi mi resi conto che il maresciallo sarebbe stato la prima persona ad ammirare la mia opera e per un attimo gli gettai un'occhiata chiedendomi se sarebbe stato all'altezza. Non ne ero affatto convinto. Prima di aprire del tutto la porta infilai la mano dentro per accendere l'interruttore dei faretti. Dunque spalancai e con la mano, senza dire niente, invitai il maresciallo e il suo appuntato a entrare. Il maresciallo fece esattamente ciò che mi auguravo: mentre procedeva nella stanza osservò prima i muri liberi e spogli, girando su se stesso, e solo quando ebbe raggiunto il centro completò il giro e si soffermò sulle cornici illuminate. Per un attimo parve rapito, poi con mio grande disappunto abbozzò lo sbuffo di una risata e mi guardò.

«Molto spiritoso, signor P.»

Non potei trattenere un accesso di tagliente fastidio.

«Spiritoso? Che intende con "spiritoso"?»

Il maresciallo continuava a tenersi in volto quel suo insopportabile e saccente sorriso. Sospirò.

«Intendevo quando aveva visto per l'ultima volta la vera signorina T.»

«Questa *è* la vera signorina T. È la signorina T. più vera che nessuno abbia mai visto.»

«Sì, senz'altro» continuò a sorridere il maresciallo. «Molto interessante. Ma quello che intendo sapere è quando ha visto per l'ultima volta la signorina T. in carne e ossa.»

«Ah, poteva dirlo subito.»

Riaprii la porta e invitai il maresciallo a uscire. L'idea che quel suo sguardo sempliciotto e quel suo sorriso saccente si appoggiassero ancora per un solo istante alle mie opere mi turbava molto. Non appena il maresciallo fu fuori, spensi le luci, richiusi bene la porta e mi diressi di nuovo verso le scale.

«Dove passa il suo tempo, signor P.?»

Mi fermai e osservai il maresciallo con una punta di fastidio.

«Qui, insieme a lei.»

Avrei voluto aggiungere un "purtroppo", ma le mie buone maniere me lo impedivano.

«Intendo di solito.»

«Glielo devo confessare, maresciallo: lei intende sempre più cose di quelle che dice. È una evidente perdita di tempo. In ogni caso nella mia stanza.»

«La potrei vedere?»

Lo fissai serio un secondo, tornai parzialmente sui miei passi, arrivai fino davanti alla mia porta, l'aprii e accesi la luce.

«Prego.»

Il maresciallo annuì appena e si affacciò dentro. Chiese poi permesso e arrivò fino al centro della prima metà della stanza, dove avevo rimesso il tavolo da lavoro e dove fino a poco tempo prima stava il divano.

«Quelle sono altre sue opere?» Indicava una piccola catasta appoggiata al muro di fronte alla porta, che avevo rimesso lì come agli inizi, per liberare la stanza dei giochi e dedicarla unicamente a Livia e al divano.

«Sì.»

Il maresciallo scostò un'intaglio e ci guardò dietro.

«È molto bravo.»

Per un attimo fui invaso da una leggera ondata di soddisfazione, che tuttavia non riuscì del tutto a cancellare il persistente senso di fastidio per quell'uomo cilindrico e spreciso. Il maresciallo continuò per qualche istante a guardarsi intorno, poi si avvicinò al mio tavolo da lavoro.

«E questi?»

«"Questi" cosa?»

«Questi guanti e questi strumenti.»

«Oh, sono per le incisioni.»

«Incisioni di cosa?»

«Le incisioni delle mie opere.»

Il maresciallo alzò appena le sopracciglia, poi si ritirò su dritto e diede un'ultima occhiata intorno, di nuovo annuendo leggermente. Uscendo mi sembrò scambiare un bizzarro sguardo con il suo appuntato, che a dire il vero non si scosse granché.

«Molto bene. Grazie mille.»

«Si figuri.»

Spensi la luce e anticipai di nuovo il maresciallo e il suo appuntato giù per le scale, fino in salotto. Ci risedemmo sui rispettivi divani, come prima.

«Quindi?» domandò il maresciallo dopo un po'.

«Quindi che?»

«Quando ha visto la signorina T. per l'ultima volta, in carne e ossa?»

«Certo. Vediamo...» Iniziai a fare il conto a ritroso dei giorni, fino alla sera dell'incisione. «Undici giorni fa.»

«Dove?»

«Di sopra, nella mia stanza.»

«E che faceva?»

«Posava.»

«Per il quadro?»

«Sì, se desidera chiamarlo così.»

«E poi?»

«E poi che cosa?»

«Una volta posato?»

«Una volta posato, basta.»

«Sì, ma lei che ha fatto dopo?»

«Ho montato l'intaglio sul piano, all'interno della cornice.»

«No, intendevo la signorina T.»

«Ah, mi scusi. La signorina T. niente.»

«Niente che?»

«Niente. La signorina T. è rimasta nella cornice.»

«Sì, capisco, ma lei in carne e ossa, dico.»

«Eh, maresciallo, chi lo sa?»

«Se ne è andata?»

Ci pensai un secondo.

«Interessante» dissi. «Chissà, forse. Io penso piuttosto che sia rimasta lì.»

«Lì dove?»

«All'interno della cornice.»

«Ma lei in carne e ossa?»

«Lei in carne e ossa, cosa?»

Il maresciallo strizzò gli occhi, guardò da una parte e sospirò.

«Lei in carne e ossa non l'ha più vista.»

«No, in carne e ossa non l'ho più vista.»
«Né sentita.»
Mi scappò da ridere.
«No, ispettore, né sentita.»
«E non ha pensato che fosse strano.»
«Che cosa, mi perdoni?»
«Così, non vederla più, da un momento all'altro.»
«Ma maresciallo, mi perdoni, la vedo tutti i giorni» dissi io questa volta con una punta di divertita esasperazione, accennando con la mano aperta al piano di sopra.
Il maresciallo annuì e si alzò d'un tratto in piedi.
«Vebbè, ho capito. La ringrazio, signor P., è stato molto gentile.»
«Ma le pare. L'accompagno.»
Sulla porta ci stringemmo la mano e dissi al maresciallo di tornare pure quando voleva. Sorprendentemente, non appena chiusi la porta alle sue spalle, il senso di fastidio fu sciacquato via come da una secchiata, e del maresciallo mi rimase tutto sommato un buon ricordo.

Per un paio di giorni tutto proseguì senza intoppi e senza sorprese. Continuavo più che altro a interessarmi all'interazione tra la gravità e i liquidi a riposo, e stavo iniziando a munirmi di bacinelle e bilance di precisione per eseguire degli esperimenti. Una mattina un inserviente della galleria di Maddalena venne a raccogliere gli intagli rimasti. Fui molto contento che liberasse la stanza. Degli intagli di Livia e del divano decisi di non dire niente. Nel pomeriggio ricevetti una telefonata di Maddalena.
«Tutto qui?»
«Maddalena, buonasera. Cosa significa "tutto qui"?»
«Be', speravo di vedere qualche quadro in più.»
«Mi sa che ho perso interesse, Maddalena.»
«Non essere sciocco, Teo. Succede a tutti all'inizio di sentirsi un po' esauriti, ma devi tenere duro.»
Non avevo molta voglia di discutere.

«Certo, Maddalena.»
«Senti, ma Livia che fine ha fatto? Sono giorni che non mi risponde. Non è molto educato.»
Pensai di mentire: non avevo alcuna intenzione di parlare a Maddalena dell'intaglio, me l'avrebbe subito voluto portare via.
«Non saprei.»
«Anche te non la senti da un po'?»
«Sì, anche io non la sento da un po'.»
«Avete litigato?»
«No, non direi.»
«Mah, valla a capire. Aspetto nuove opere, mi raccomando.»
«Certo, Maddalena.»
E attaccammo. Mi rimisi a studiare il comportamento dei fluidi.
Il giorno seguente Riccardo venne ancora una volta a bussare direttamente alla porta della mia stanza.
«Signore, hanno suonato alla porta.»
«E chi è?»
«La polizia, temo.»
«La polizia?»
«Sì, un signore che sostiene di essere un sostituto procuratore, accompagnato da due agenti in divisa.»
«Gesù santissimo, che fastidio. Di' che arrivo subito.»
Mi infilai di nuovo la giacca da camera e scesi dabbasso. Questa volta ad aspettarmi trovai un tipo magro e con pochi capelli, un gran naso adunco e degli abiti marroncini, piuttosto eleganti ma a crescenza. Pareva molto più vecchio di ciò che senz'altro non fosse, e si stava soffiando il naso. Finita l'operazione, si presentò come dottor S., sostituto procuratore del tribunale.
«Buongiorno, dottor S., ben trovato.»
«Buongiorno, signor P.»
«Venga, accomodiamoci nel salotto, le offro qualcosa.»
Il dottor S. mi scrutò un momento il volto.
«La ringrazio, signor P., non importa.»
«Oh» dissi, «come desidera. Cosa posso fare dunque per lei?»

Il dottor S. attese di nuovo qualche istante, prima di rispondere, e ogni volta si prendeva questa piccola pausa in cui pareva frugarmi negli occhi.

«Signor P., devo comunicarle che siamo venuti per fare una perquisizione. Può, se lo ritiene necessario, chiedere la presenza di un avvocato.»

Intanto, i due agenti in divisa che accompagnavano il sostituto procuratore avevano preso a vagare per il salotto e spostare oggetti.

«Perché spostano quegli oggetti?» domandai. «È molto fastidioso.»

«Ci sono altre persone in casa, signor P.?»

«Certo che ci sono altre persone.»

«Quante?»

«Due. Dottor S., dica per favore ai suoi uomini che quelle cornici e quegli oggetti hanno una disposizione ben precisa e collaudata.»

«Può chiamarle, per favore?»

«Che cosa?»

«Le due persone.»

«Certo, ma dica ai suoi uomini di non toccare per favore quegli oggetti.»

«Temo di non potere, signor P. Se desidera, come le ho detto, può chiamare il suo avvocato.»

«Tutto questo è molto scocciante.»

Andai fino all'entrata del salotto e schiacciai il pulsante del campanello. Riccardo arrivò come al solito dopo pochi istanti.

«Mi dica, signore.»

«Riccardo, il qui presente sostituto procuratore, dottor S., richiede per qualche ragione la presenza sua e di Maria.»

«Subito, signore.»

Riccardo ricomparve dopo appena un minuto con accanto Maria.

«Signori, temo di dovervi chiedere di restare in questa stanza» disse il dottor S.

Riccardo e Maria erano visibilmente a disagio: si gettarono un'occhiata per capire come comportarsi, poi si accostarono al muro accanto all'entrata, uno vicino all'altra, con le mani raccolte davanti. Come suggeritomi dal sostituto procuratore, pensai che potesse essere il momento buono per chiamare un avvocato. A dire la verità non avevo un avvocato, ma mi venne d'un tratto in mente quel buffo amico d'infanzia di Nina. Chiamai Nina.

«Pronto?»

«Nina, avrei bisogno del numero di telefono di quel tuo amico avvocato che era a cena da te un mese fa.»

«Perché?»

«Niente di importante, la polizia mi sta facendo una perquisizione.»

«Che vuol dire la polizia ti sta facendo una perquisizione?»

«Quello che ho detto: la polizia mi sta facendo una perquisizione. Nina, non è il momento di perdersi in questioni semantiche.»

«Ma perché la polizia ti sta facendo una perquisizione?»

«Mi daresti per favore il numero di quel tuo amico?»

«Certo, aspetta un momento.»

Sentii un colpo sordo nella cornetta, poi dei passi in sottofondo. Dopo qualche istante Nina riprese la cornetta e mi diede il numero. La ringraziai.

«Studio legale, buonasera.»

«Sì, cercavo l'avvocato V.»

«Chi devo dire?»

«Teodoro P., grazie.»

«Attenda un attimo.»

Nella cornetta risuonò *La campanella* di Paganini. Mi dispiacque quando l'avvocato riprese la linea.

«Buonasera, Teo.»

«Buonasera, avvocato, come sta?»

«Eh, non c'è male. Il martedì sono sempre un po' triste.»

«Oh, mi dispiace.»

«Si figuri. Mi dica, mi dica.»

«Non voglio disturbarla, ma avrei un sostituto procuratore del tribunale e due agenti di polizia in casa che mi starebbero facendo una perquisizione.»

«Le starebbero cosa?»
«Facendo una perquisizione.»
«Facendo una perquisizione?»
«Esatto.»
«Fisica?»
Scoppiai a ridere.
«Diamine, no, alla casa.»
«È proprio sicuro che sia una perquisizione?»
«Mi pare di sì, attenda un momento.»
Tappai la base della cornetta con una mano e guardai il sostituto procuratore.
«Era questa la parola, non è vero signor procuratore: "perquisizione".»
Le sopracciglia del dottor S. si alzarono impercettibilmente e parve per un momento non aver capito.
«Sì» rispose, questa volta aggrottando la fronte, «perquisizione.»
Tolsi la mano dalla base della cornetta.
«Sì, confermo: perquisizione.»
«Ma perché le starebbero facendo una perquisizione?»
Tappai di nuovo il ricevitore.
«Mi chiede perché mi stareste facendo una perquisizione.»
«Perché abbiamo notizia di un possibile reato.»
«Perché hanno notizia di un possibile reato, dice.»
«Quale reato?» domandò l'avvocato.
«Quale reato?» domandai io al sostituto procuratore.
«Omicidio.»
«Omicidio, dice.»
«Omicidio?»
Tappai ancora la cornetta.
«L'avvocato mi chiede conferma: ha detto omicidio, non è vero?»
Il dottor S. si fermò a fissarmi e questa volta accennò un velo di sorriso.
«Sì, omicidio» ripeté poi.
«Sì, confermo: omicidio.»

Dall'altra parte del ricevitore ci fu un profondo silenzio.
«Avvocato, ha capito?»
«Sì, Teo, ho capito. Mi passi il sostituto procuratore, per favore.»
«Certamente.»
Allontanai la cornetta dal volto e la allungai verso il dottor S.
«Mi perdoni, chiede di lei.»
Il dottor S. alzò di nuovo le sopracciglia e con un leggerissimo scatto si avvicinò al telefono.
«Buonasera» disse una volta raccolta la cornetta e avvicinatala al volto. Pensai di allontanarmi verso l'altro lato della sala: avevo sempre trovato molto sconveniente ascoltare le telefonate altrui. Osservai comunque il sostituto procuratore da lontano parlottare cautamente con l'avvocato. Il dottor S. aveva un'ombra gentile e triste nello sguardo che non mi dispiaceva affatto. Non pareva in effetti un sostituto procuratore, pareva più un addomesticatore di animali abbandonato improvvisamente dalla moglie.
Ricordai d'un tratto un testo molto divertente in cui mi ero imbattuto diversi anni prima e che avevo divorato in pochi giorni. Doveva essere da qualche parte lì nella libreria del salotto, vicino ai testi scientifici. Lo trovai subito e in un batter d'occhio ritornai ai deliziosi pomeriggi passati in sua compagnia: *Procedura penale* di Franco Cordero. Così cominciava l'eccezionale professor Cordero al capitolo settantacinque della sezione tredicesima: "L'atto del perquisire differisce dall'ispezione nell'organo anatomico: mano e, rispettivamente, occhi; l'*inspiciens* scruta; il perquirente fruga". I perquirenti, in effetti, frugavano.
Il sostituto procuratore annuì un altro paio di volte al telefono, disse qualcosa che non udii e allontanò la cornetta dal volto dicendomi che l'avvocato desiderava parlare con me. Mi riavvicinai al telefono.
«Salve, avvocato, mi dica.»
«Teo, stia tranquillo, è una breve perquisizione di routine, niente di cui preoccuparsi.»
«Avvocato, non sono affatto in apprensione.»

Il ricevitore riaffondò in un breve silenzio.

«Be', molto bene. Mi faccia sapere se ci sono evoluzioni. Mi terrò in ogni caso in contatto con il sostituto procuratore.»

«Ottimo, grazie avvocato.»

«Ma le pare. Buona giornata.»

«Anche a lei. Salute.»

Riadagiai la cornetta sulla sua base, camminai verso il centro della stanza e mi lasciai cadere sul divano.

«Tutto a posto» dissi.

Il dottor S. mi fissò, poi andò anch'egli a sedersi sull'altro divano, di fronte a me.

«Signor P., so che lei sostiene di aver visto la signorina T. per l'ultima volta una sera di un paio di settimane fa.»

«Non proprio.»

«Che vuol dire con "non proprio"?»

«Che non ho mai detto una cosa del genere.»

«Ah no?»

«No, ci deve essere stato un fraintendimento. Non so chi le abbia dato quest'informazione.»

«Il maresciallo che le ha fatto visita due giorni fa.»

«Non avevo dubbi.»

«Su cosa non aveva dubbi?»

«Che il maresciallo in questione desse informazioni scorrette. Faceva domande estremamente vaghe e non mi sorprende affatto che abbia raccolto informazioni tanto imprecise.»

«Vorrebbe quindi chiarirmi qualche aspetto?»

«Ci mancherebbe, volentieri.»

Il sostituto procuratore tirò fuori dalla tasca interna della giacca un taccuino.

«Quando avrebbe visto dunque la signorina T. per l'ultima volta?»

«La vedo tutti i giorni.»

Il sostituto procuratore alzò d'un tratto lo sguardo su di me e fece una strana smorfia con le labbra.

«E dove la vedrebbe?»

«Al piano di sopra.»
«Nel suo quadro.»
«Se lo vuole chiamare così...»
«Il maresciallo mi ha parlato di questo suo quadro. Potrei vederlo?
«Ma ci mancherebbe, con piacere.»
Salimmo le scale e andammo al piano di sopra. I poliziotti che avevano accompagnato il dottor S. erano nella mia stanza e a giudicare dal rumore stavano mettendo tutto sottosopra. Era immensamente fastidioso ma tentai di trattenermi.
Una volta entrati nella vecchia stanza dei giochi e accese le luci, il sostituto procuratore restò qualche istante a osservare l'intaglio di Livia e del divano. Si avvicinò poi di qualche passo, prima all'intaglio di Livia, fino a osservarle gli occhi, poi verso quello del divano, più a lungo. Pareva rapito dalla zona oscura lasciata dall'assenza di Livia.
«Molto affascinante» disse dopo qualche minuto, allontanandosi. «Soprattutto quella zona scura. Cosa sarebbe?»
«La sua è una domanda complessa» dissi. «Anche io mi interrogo molto a questo riguardo. Ciò che c'è dietro, credo, né più né meno.»
«Dietro cosa?»
«Dietro. Dietro e basta.»
Il dottor S. continuò per qualche istante a osservare gli intagli, annuendo.
«Molto bene» disse poi. «La ringrazio. Vogliamo riscendere?»
«Certamente.»
Tornammo in salotto e ci riadagiammo sui divani, uno di fronte all'altro.
«Quindi, signor P., escludendo i suoi quadri, quando ha visto la signorina T. per l'ultima volta?»
«Che cosa intende?»
«Quando l'ha vista per l'ultima volta in carne e ossa, così come siamo noi.»
«Oh, tredici giorni fa.»
«E cosa faceva?»

«Posava per l'intaglio.»
«Perché li chiama intagli?»
«Perché è questo ciò che sono.»
«Mi spieghi meglio.»
«Intagli, dottore. Sagome.»
«Intagli di cosa?»
«Buona domanda. Del mondo, immagino. O della superficie del mondo, per essere più precisi.»
«Capisco. Ma tornando alla signorina T., cosa ha fatto dopo aver posato?»
«È rimasta lì.»
«Lì dove?»
«Lì dov'era.»
«E lei?»
«Io?»
«Sì, lei.»
«Io no.»
«Io no, cosa?»
«Io non sono rimasto lì.»
«E cosa ha fatto?»
«Ho preparato la base per porci l'intaglio.»
«E la signorina T.?»
«La signorina T. stava lì.»
«Lì dove?»
«Lì, da una parte.»
«A fare che?»
Mi scappò da ridere.
«Ma a far niente, dottore. Cosa vuole che facesse? Stava lì.»
«A non far niente?»
Risi di nuovo.
«Sì, dottore, a non far niente.»
«E poi?»
«E poi?»
«Avrà fatto qualcosa.»

«Sì, ho continuato a preparare la base su cui attaccare l'intaglio.»

«No, la signorina T., intendo.»

«Cosa vuole che facesse, la signorina T.?»

«Che ne so, rivestirsi, darle una mano.»

Scoppiai di nuovo a ridere.

«Darmi una mano? E come faceva?»

Il dottor S. parve per la prima volta spazientito.

«Signor P., c'è poco da ridere, qui la questione è seria. C'è una donna scomparsa e l'ultima persona che sembra averla vista è lei. Ho bisogno di sapere cosa è successo alla signorina T. dopo aver posato per il suo quadro o il suo intaglio o comunque lei voglia chiamare la sua opera.»

«Ma cosa vuole che sia successo? È rimasta lì sulla base dell'intaglio.»

«Ma lei in carne e ossa, come siamo noi due seduti a parlare su questo divano, dov'è andata?»

«Ecco, questa è una domanda molto interessante. A dirle la verità non lo so. Da un'altra parte, forse.»

«Quale altra parte?»

«Eh, dottor S., questo davvero non posso saperlo.»

«Cioè, lei mi sta dicendo che una volta posato per la sua opera, la signorina T. se ne è andata e non mi sa dire dove e non si è più fatta viva con nessuno?»

«Le confesso che la sua è una logica un po' contorta, ma se la vuole mettere così faccia pure come desidera.»

«Perché, lei come la metterebbe?»

«Che la signorina T. è semplicemente di sopra, come desiderava e voleva che fosse. Non capisco cosa tutti abbiano da allarmarsi.»

«Cosa intende quando dice "come desiderava"?»

«Continuate sempre tutti a chiedermi cosa intendo. Non mi è mai capitata una cosa del genere, sono sempre molto attento e preciso nell'uso delle parole e mi domando come sia possibile che mi si chieda continuamente cosa intendo. Intendo ciò che ho detto, che la signorina è esattamente dove desiderava essere.»

«E dov'è quindi che desiderava essere?»

«Dov'è: appesa a quel muro, su quel manto di velluto e all'interno di quella cornice. Li ha scelti lei, con molta cura e attenzione. Dove altro dovrebbe voler essere?»

«Poi si è dissolta nel nulla.»

Sospirai. Mi sentivo molto stanco e frustrato.

«Non so che dirle, dottore, non sono convinto di capire bene le sue affermazioni.»

In quell'istante si riaffacciarono nella stanza i due poliziotti che avevano accompagnato il dottor S.

«Mi perdoni, dottore, abbiamo trovato questi.»

Uno dei poliziotti teneva in mano gli abiti che Livia si era tolta la sera dell'incisione, mezzi appallottolati come li avevo lasciati nell'armadio, l'altro aveva in mano due scatole di guanti in lattice, il mio astuccio dei bisturi e il pacchetto con le riserve delle lame. Il dottor S. si alzò dal divano e andò loro incontro. Io continuavo a sentirmi stanco e restai seduto. Appoggiai un gomito su un bracciolo e la tempia sulla mano.

«Cosa sono questi, signor P.?» domandò il dottor S. una volta vicino ai due agenti, sollevando con un dito un lembo degli abiti di Livia.

«Sono gli abiti della signorina T.» risposi io sospirando, senza staccare la tempia dalla mano.

«E quando li indossava?»

«Quando, secondo lei?»

«Signor P., non ho voglia di giocare agli indovinelli. Mi risponda, per favore.»

«La sera dell'incisione» cantilenai dondolando appena la testa sulla mano.

«E questi?»

Non riuscii a trattenere uno stanco abbozzo di risata.

«Quelli sono bisturi.»

«E a cosa le servono?»

«A fare le incisioni, dottore.»

«In che modo, mi scusi?»
«Nell'unico modo possibile, incidendone i contorni.»
«È questo che ha fatto con la signorina T.?»
«Certo che è questo che ho fatto con la signorina T., dottore. Di cosa abbiamo parlato finora?»
Il dottor S. pareva per qualche motivo sorpreso e alzò leggermente le sopracciglia.
«Lei mi sta dicendo che ha inciso la signorina T. con questi bisturi?»
«Certo.» Scossi di nuovo la testa.
«E del corpo cosa ne ha fatto?»
«Del corpo?»
«Sì, del corpo.»
«Non capisco.»
«C'è poco da capire, signor P. Cosa ha fatto della signorina T. dopo averla incisa con questi bisturi?»
«Ma gliel'ho già detto e lo sa: l'ho adagiata e incollata sulla superficie di velluto da lei scelta.»
«Vuol dire che quella di sopra, attaccata in quel quadro, è la pelle della signorina T.?»
«La pelle? Che c'entra la pelle? È lei.»
«E il resto?»
«Il resto di che?»
«Della signorina T.»
«Che ne so del resto. Il resto è filosofia, dottore, e mi piacerebbe molto discuterne con lei ma le ripeto che faccio un po' di fatica a seguirla e mi sento molto stanco.»
«Per lei sarà anche filosofia, signor P., ma io voglio sapere cosa ne è stato della signorina T. una volta entrata in quella stanza, tredici giorni fa.»
«Ma gliel'ho già detto e ripetuto, dottore: si è spogliata, si è messa in posa, ha controllato con il grande specchio che può ancora trovare al piano di sopra che fosse ben centrata e in una posizione che l'aggradasse e, per suo stesso esplicito desiderio, si è fatta incidere.

Una volta terminata l'incisione ho dunque adagiato l'intaglio sulla superficie e nella cornice che lei stessa aveva scelto con molta meticolosità nelle settimane precedenti. C'è anche da comprenderlo, d'altronde, che uno voglia assicurarsi di essere adagiato nel luogo che più gli aggrada, soprattutto se presume di passarci parecchio tempo ed essere visto da parecchie persone. Per quanto riguarda il resto, dottor S., ammetto che alcune delle sue domande mi affascinano molto, ma non sono convinto di comprenderle del tutto né tantomeno di possedere le risposte esaustive che si attende da me.»

Il dottor S. lasciò cadere un braccio lungo il corpo e per un attimo parve davvero abbattuto.

«Capisco» disse. «In tal caso, signor P., sono costretto a dirle di seguirmi in centrale e metterla momentaneamente in stato di fermo con l'accusa di omicidio. Le consiglio anche di richiamare il suo avvocato e dirgli di raggiungerla.»

Qualche definizione, dal dizionario della lingua italiana degli esimii professori Giacomo Devoto e Gian Carlo Oli.

Omicidio, s. m. (pl. *-di*): la soppressione di una o più vite umane, dal punto di vista morale o giuridico.

Corpo, s. m.: 1. Quantità di materia limitata da una superficie e definita da una o più proprietà che le conferiscono una individualità.

Era questo, pare, il luogo del contendere: dove fosse finito il corpo. Dopo la perquisizione e la traduzione in centrale, e anche dopo molte discussioni tra il sostituto procuratore e il mio avvocato, un cordiale giudice aveva acconsentito a non condurmi in carcere. Ne fui molto grato. Mi guardò negli occhi e mi informò che ero in stato di fermo domestico e mi chiese se ne capivo il significato. Mi consultai un istante con l'avvocato V. e risposi affermativamente.

A casa, Maria e Riccardo mi salutarono con più affetto del solito, eppure avevano nello sguardo qualcosa di nuovo e distante. Andai subito nella mia stanza e chiesi di cambiarmi le lenzuola.

«Ma sono fresche di stamani, signore» disse Maria.

«Non importa, ne desidero di pulite. Anzi, vada per favore con Riccardo a comprarne di nuove, almeno una decina di cambi, e getti via tutte quelle che abbiamo.»

«Come desidera, signore.»

Vennero a trovarmi a casa diversi medici. Mi fecero un sacco di domande sul mio passato e sul mondo e mi mostravano delle macchie su dei pezzi di carta come si vedeva nei film e in un paio di occasioni mi fecero pure fare dei ridicoli giochi di associazione con pezzi di legno e disegni geometrici. Sembravano sempre molto soddisfatti. Uno aveva una strana pettinatura tutta scombinata e una moltitudine di spessi capelli grigi. Non avevo mai visto nessuno con così tanti capelli. Mi domandai se quei capelli nascondessero qualche segreto e gliene chiesi uno. La mia richiesta parve sorprenderlo: mi interrogò a questo proposito per diversi minuti. All'inizio le sue domande mi incuriosirono, poi presi a trovarle ridicole.

«Dottore, non si preoccupi: se le dispiace darmi un suo capello basta dirlo, non serve tirarla tanto per le lunghe.»

Lui mi guardò di nuovo sorpreso.

«No, no, nessun problema, faccia pure.»

Pensavo che se lo sarebbe strappato lui, invece allungò la testa verso di me invitandomi a prenderlo con le mie mani. Non ero convinto di essere entusiasta di quella soluzione. Avrei desiderato dei guanti sterili ma in giro non ce n'erano. Infine mi risolsi, allungai una mano e strappai un capello dalla testa del dottore. Oppose non poca resistenza.

L'avvocato mi spiegò che avrei dovuto continuare per un po' a incontrare il medico con i folti e molto resistenti capelli. Al microscopio, che andai a riesumare dall'armadio, a un ingrandimento di cinquanta volte, il capello pareva molto ruvido ma tutto sommato uniforme.

Ci incontravamo in un suo studio, poco fuori dal centro. Era una stanza piuttosto grande e bruttina. Alle pareti erano appese stampe di poco valore rappresentanti panorami di campagna, e mi faceva sedere su una poltrona di pelle malmessa. Affettava grande giovialità, ma non mi convinceva del tutto. Era molto interessato a sapere se capivo i motivi per cui ero in stato di fermo.

«Certo, dottore.»

«Me lo saprebbe spiegare?»

«Sono indagato per omicidio.»
«E capisce cosa questo significhi?»
«Ma certo.»
«Me lo saprebbe dire?»
«Preferirei usare la definizione degli esimi professori Devoto e Oli, mi pare come sempre calzante: "La soppressione di una o più vite umane, dal punto di vista morale o giuridico".»
Il dottore annuì.
«E lei ritiene di aver ucciso la signorina T.?»
«Non direi.»
«Perché dice "non direi"?»
«Non vedo in che modo le avrei potuto sopprimere la vita.»
Il dottore in questi casi mi fissava sempre qualche secondo.
«Capisco» diceva.
Era molto interessato anche a discutere con me questioni filosofiche, ma i suoi contributi alla conversazione mi parevano perlopiù di scarsa efficacia. Mi faceva molte domande sul concetto di corpo, e di esistenza, ed era interessato a capire in che relazione fossero queste mie riflessioni con i miei intagli. Mi interrogava anche molto sui miei genitori. Mi fece ricordare che il babbo, quando camminavano, teneva sempre la mamma a braccetto e si afferrava la punta dell'indice. Mi chiese come avevo preso la loro morte.
«Come l'ho presa?»
«Sì.»
«In che senso, mi scusi?»
«Che sentimenti le ha provocato.»
Era forse la domanda più precisa che il medico mi avesse mai fatto.
«Mancanza» risposi.
«E cosa faceva?»
«Non ricordo bene. Pare che stessi molto a letto.»
«Ci pensa spesso?»
«A cosa?»
«A quel periodo.»
«Sì.»

«In che modo?»

«Quel periodo di posture sbagliate mi provoca tutt'ora accessi di mal di schiena.»

Il dottore mi fissò nuovamente.

«Capisco» aveva ripetuto.

Dopo un paio di incontri il dottore mi chiese di vederci in un suo secondo studio. Era meno vicino al centro, ma tutto sommato più fresco e grazioso, più luminoso. La cosa tuttavia mi parve molto sconveniente e mi insospettì. Non avevo alcuna voglia, quel giorno, di parlare con il dottore e le sue domande avevano un'aria sinistra. Era parecchio interessato a questa mia improvvisa reticenza. Mi domandò dell'altro studio ed era incuriosito dal fatto che ne ricordassi tanti dettagli.

Ritornammo poi al suo studio originario, e un giorno mi disse che non ci saremmo più dovuti vedere, se io non lo desideravo, e mi augurò buona fortuna.

Iniziò dunque il processo. In un primo momento pensai che fosse educato presentarmi alle udienze. L'aula era molto spaziosa e piena di legno. Da una parte c'erano pure delle celle. Sentivano testimoni, dibattevano, e all'inizio lo trovai divertente. Il giudice era un tipo buffo. Era sempre molto sgarrupato, e ossessionato dal tempo. Diceva continuamente di non perderne. Appallottolava anche continuamente dei pezzetti di carta e di tanto in tanto mi gettava delle lunghe occhiate, ma come sovrappensiero. Sentirono anche me e i medici che mi avevano visitato e interrogato. Uno di loro usò parole molto complesse e parlò della morte dei miei genitori e citava di continuo una scatola in cui mi sarei rinchiuso per difendermi dal mondo. Era una teoria molto affascinante e l'immagine di me chiuso in una scatola con un elmetto militare in testa mi fece scappare una risata. Mi era pure capitato durante una delle udienze, proprio mentre veniva ascoltato il dottore. Il giudice interruppe l'udienza e mi domandò cosa avessi da ridere. Quando glielo raccontai, anche lui si mise a ridere, poi si fece di nuovo serio e disse di andare avanti, che non c'era tempo da perdere.

D'un tratto mi stancai di andare alle udienze. Continuavano a soffermarsi su questioni prive di alcun interesse. Tutto sembrava ruotare, appunto, intorno al corpo. Sostenevano che il corpo non risultasse. L'espressione mi pareva eccezionale. Che altro volevano, per dare individualità a quella porzione di superficie? L'avvocato V. sosteneva che senza corpo non c'era omicidio, il pubblico ministero che anche senza corpo le prove erano più che sufficienti per dimostrare la mia colpevolezza. Trovavo tutto molto noioso. Chiesi dunque il permesso al giudice di poter restare a casa e lui me l'accordò.

Venni richiamato solo una volta. Il giudice, più cortese del solito, si scusò per avermi convocato nuovamente lì in aula e mi chiese se fossi in grado di riprodurre ciò che avevo fatto con la signorina T.

«Mi perdoni, non capisco cosa intende» risposi.

«La sera di ciò che lei definisce una "incisione", signor P.»

«Sì, mi dica.»

«È in grado di ripetere ciò che ha fatto?»

«Ma l'ho già ripetuto più volte.»

«Mi perdoni: non a voce, intendevo. Concretamente.»

«E come?»

«Non so, me lo dica lei.»

«Mi sta chiedendo di incidere qualcosa?»

«Sì, esatto.»

«Ma dove?»

«Qui, davanti a noi.»

«Certamente, ma non ho i miei strumenti.»

«Li abbiamo qui per lei» disse il giudice mostrando un tavolino sulla destra su cui erano stati posati dei bisturi e qualche paio di guanti.»

«Certamente, signor giudice. Cosa desidera che incida?»

Lui parve sorpreso. Un brusio attraversò le poche persone presenti in aula.

«Non saprei, signor P. Ciò che vuole, immagino» disse il giudice titubante.

Mi guardai intorno. Sul tavolo del pubblico ministero era posata una bella penna stilografica.

«Quella sarebbe interessante da incidere» dissi.

Tutti osservarono il tavolo del pubblico ministero. Qualcuno da dietro si alzò e cercò di scorgere meglio facendo grattare la sedia sul pavimento.

«La penna?» domandò il giudice.

«Sì, la penna.»

Il giudice si rivolse quindi al pubblico ministero.

«Le dispiace?»

Il pubblico ministero incastrò la testa nelle spalle e allargò leggermente le braccia.

«Vabbè» disse. Non pareva molto contento.

Mi avvicinai al tavolo, raccolsi la penna e ringraziai il pubblico ministero.

«Posso lavorare su quel tavolino?»

«Prego» mi disse il giudice indicando il tavolino su cui erano posati i bisturi e i guanti. Sembrava avere un'aria molto divertita.

Mi avvicinai al tavolino, posai la penna sul piano e calzai un paio di guanti. Non ero convinto che servissero, ma non volevo essere scortese con chi li aveva procurati e in ogni caso mi divertiva ripetere tutto da capo. Chiesi se potevano portarmi una sedia e me ne fu avvicinata una da ufficio, di cui riuscii a regolare bene l'altezza. Avrei gradito molto una luce da tavolo, ma tutto sommato si vedeva piuttosto bene. Erano ormai diversi mesi che non incidevo più niente e per un attimo ne sentii la mancanza. Sistemai la penna in una posizione che mi aggradasse, di sbieco, raccolsi il bisturi con la lama stretta, la numero 15, la stessa che avevo usato per combattere la verruca, e la affondai in prossimità del bordo della penna. Il lavoro fu rapido e semplice e dopo appena un paio di minuti appoggiai l'intaglio sul piano. Improvvisamente, la penna non stava bene sul finto legno della formica. Mi voltai e chiesi se qualcuno aveva un foglio di carta bianco, o tutt'al più color panna. Un addetto me ne allungò uno bianco. Lo adagiai sul piano e ci posai sopra l'intaglio della penna.

«Ecco qui» dissi infine, voltandomi e alzandomi e togliendomi con uno schiocco i guanti.

Il giudice e il pubblico ministero e l'avvocato e gli assistenti e i cancellieri e le segretarie si avvicinarono tutti al tavolino. Si piegarono in avanti uno sull'altro.

«Bello» disse qualcuno.

«Sì, affascinante.»

«E quella traccia nera sul tavolo che cos'è?»

«Non saprei» dissi. «Ciò che c'è dietro, credo.»

«Interessante» disse qualcun altro.

Poi restarono tutti in silenzio per diversi minuti, con gli occhi presi da quella fessura nera e sfrigolante sulla superficie del tavolo. Quando si ripresero, molti scossero la testa e si passarono le mani sugli occhi. Il giudice tornò al suo posto. Pareva un po' stordito e perplesso. Anche il pubblico ministero e l'avvocato V. impiegarono qualche altro istante a riprendere un filo logico e dire qualcosa che avesse senso compiuto. Sospiravano molto e si guardavano l'un l'altro e producevano solo parole come "bah", o "certo", o "sì". Infine, il giudice parve ritrovare lucidità, mi ringraziò e mi disse che se volevo potevo andare.

Ringraziai a mia volta, strinsi la mano all'avvocato e al pubblico ministero e mi avviai verso il fondo della sala.

Un giorno, mesi e mesi più tardi, venne a trovarmi l'avvocato. Mi disse che ero stato assolto per insufficienza di prove. Era raggiante. L'espressione "insufficienza di prove" mi intrigò molto. Al capitolo settantanove della sezione tredicesima, l'esimio professor Cordero scrive così:

> È dunque termine relativo "prova": lo stesso dato ne costituisce una o no, secondo la decisione rispetto a cui la consideriamo. L'indagante opera ogni notizia utile, da qualunque fonte venga: l'atto risulta più o meno legittimo, indipendentemente da come fosse venuta all'autore l'idea-guida; non esistono norme sui circuiti mentali.

«Il fatto non sussiste» mi disse l'avvocato pieno di fanciullesca eccitazione. «Non c'è il corpo, capisce?»

L'uomo nell'armadio

E mi era presa voglia di uscire. Finito di mangiare, mi ero affacciata un momento alla finestra. Un refolo fresco di fine inverno mi aveva mosso una ciocca di capelli e scombinato l'ordine naturale degli eventi. Qualunque altra sera avrei richiuso la finestra, mi sarei messa in pigiama, avrei acceso la tivù e l'avrei guardata mezza stesa di fianco sul divano, fino a quando gli occhi non si fossero appesantiti. Non quella sera, però. Quella sera, insieme al refolo, parevo aver respirato una nuvola di brillantini, che adesso mi sfrigolavano dentro come bolle in una coppa di champagne.

Camminai per più di un'ora, lungo i corsi illuminati e per i vicoli del centro e attraverso il parco. Mi accorsi di tenere lo sguardo rivolto in alto, e mi sorprese. Non ero intenta a seguire una precisa linea del marciapiede, saltare gli interstizi delle pietre, occupare la mente con qualunque attività capace di distrarmi dal mondo circostante. Osservavo invece i tetti dei palazzi, i cornicioni, e improvvisamente non sembravano avvilupparmi, sembravano marciapiedi pure loro, ma al contrario, con in mezzo l'asfalto del cielo.

C'erano un sacco di persone, in giro, e non mi parvero una minaccia. Erano, anzi, tutti allegri e mi venne una gran voglia di affiancarmi a qualche gruppo e sentire cosa avevano da dirsi e fare la loro conoscenza. Sfilando accanto alle colonne, dovetti sforzarmi per non sedere vicino a un cerchio di ragazzi che non riuscivano a smettere di ridere. Pensai semplicemente di fermarmi lì accanto e sentire cosa dicevano e mettermi a ridere anche io. Senz'altro qualcuno mi avrebbe guardato perplesso, ma gli avrei detto che erano molto buffi e ci saremmo presentati e avremmo fatto conoscenza. Sembravano tutti pieni di amici. Vederli così, a gruppi, a ridere e chiacchierare, era come guardarli da molto lontano.

Forse è per questo che mi incuriosì, perché era solo. Aveva i gomiti appoggiati al bordo del ponte e guardava l'acqua scorrere. Appoggiai anche io le braccia sulla pietra. Di tanto in tanto, nell'acqua limpida, un pesce faticava controcorrente. Mi voltai e lo osservai per qualche istante. Aveva la linea del mento e del naso molto regolari, e una bella camicia azzurra. Teneva le dita delle mani incrociate. Mi avvicinai di mezzo passo domandandomi se non fosse una mossa troppo audace e mi issai sui gomiti staccando i piedi da terra, per vedere meglio sotto il ponte.

«Va molto forte» dissi dopo aver rimesso con un balzello i piedi a terra.

Lui mi fissò. Aveva gli occhi molto scuri.

«L'acqua. Pensavo che andasse più piano.»

Lui si sporse leggermente oltre il bordo, accennò un sorriso e annuì. Pensai di avvicinarmi di un altro mezzo passo e presentarmi. Lui mi strinse la mano senza dire niente. Dissi che era un uomo di poche parole e lui abbozzò una risata e annuì di nuovo e io dissi che era una cosa che mi piaceva e che ormai si parlava troppo e non si sapeva più stare zitti. Gli raccontai del perché ero uscita e di come quella sera sembrassero tutti allegri e pieni di amici. Gli domandai se lui di amici ne aveva tanti e dondolò la testa. Era alto, e sembrava molto in forma. Gli domandai se aveva voglia di bere qualcosa. Alzò le spalle sorridendo e ci avviammo giù verso l'Osteria. Decisi di prendere un cocktail alla frutta, e lui fece lo stesso. Gli parlai di quanto poco amassi il freddo e di quanto fossi felice di quel primo accenno di fine inverno. Anche di quando, da piccola, mi portavano a sciare e di quanto odiassi le calzamaglie e i piumini e gli scarponi e tutti quegli strati che mi impedivano di muovermi come volevo. Gli domandai se sciava. Mi fece segno di no, mentre con le labbra afferrava la cima della cannuccia e tirava su un sorso dal grosso bicchiere rossastro. Gli parlai di quanto amassi la frutta e del garbo che avevo nel fare le macedonie e di quell'estate in cui ero stata a cogliere mele in Canada. Lui sembrava molto interessato a ciò che dicevo e quando avevamo finito i drink e dopo esserci divertiti a succhiare tutti gli ultimi resti di frutta dal fondo del bicchiere, gli dissi che abitavo lì vicino e gli domandai se aveva voglia di salire da me.

Non fu una cosa a cui pensai molto. Rientrammo in casa e gettai le chiavi sul tavolino del soggiorno pensando di aprire una bottiglia di vino e quando mi voltai per appendere il cappotto gli sbattei contro. Avevo d'istinto tirato su le mani per ripararmi dal colpo e gli erano atterrate sul torace, il pollice nell'incavo dei pettorali. Pareva il torace tonico di uno sportivo, e ne fui rapita. Forse incuriosita è più corretto: fui rapita dalla curiosità di aprire i bottoni della sua camicia e scoprire cosa nascondevano. Li aprii uno per uno, lentamente, e sfilai infine i lembi della camicia dai pantaloni. Era asciutto, solido, i muscoli che accennavano appena a contrarsi al passaggio dei polpastrelli. Feci scorrere la mano sopra le spalle e le scoprii fino a far cadere camicia e giubbotto sul pavimento. Lo fissai e accennammo entrambi un sorriso. Percorsi con la punta delle dita la linea delle spalle e del collo e del mento, poi riscesi lungo la piega dei pettorali e sugli addominali. Mi voltai, osservai il divano, gli presi la mano e ce lo portai davanti. Finii di spogliarlo: mi accucciai in terra, gli slegai e sfilai scarpe e calzini, sganciai e aprii cintura e pantaloni, li sfilai dal basso una gamba per volta. Infine, lo invitai a sedere sul divano. Mi spogliai dunque anche io, fino a restare completamente nuda. Era questo un imbarazzo che non ero mai riuscita del tutto a superare: trovarmi completamente nuda davanti a un uomo. Eppure adesso mi pareva improvvisamente molto naturale. Posai i ginocchi sul divano e, prima di sedermi su di lui, spinsi in avanti il bacino e lo avvicinai al suo volto. Lui osservò per un attimo, piegando appena la testa da una parte all'altra, poi mi baciò e mi afferrò le natiche. Aveva molta grazia, e una lingua molto morbida. Mi abbassai infine fino a farlo scivolare dentro di me, così, stando sopra, tenendogli i capelli come la criniera di un cavallo. Era la prima volta. Marco voleva sempre farmi stare sotto, possibilmente di spalle, e poi non riusciva a controllarsi e finiva sempre troppo presto.

Quando iniziai a sentire lo scalpitio della volata finale, mi dissi che non volevo finire lì, sul divano, senza sapere poi dove sdraiarmi. Rallentai dunque dolcemente e mi staccai, gli presi nuovamente la mano e lo portai fino in camera, tirai via dal letto un paio di indumenti, sistemai due cuscini contro la spalliera e lo feci distendere e gli salii di nuovo sopra. Per la prima volta, non mi impedii di gridare. Mi lasciai cadere sul suo petto, poi sul materasso. Ci voltammo su un fianco e mi incastrai nel suo corpo.

«Puoi restare, se vuoi» dissi dopo diversi minuti, quando stavo già per addormentarmi. «Là, però.»

Lui alzò la testa dal cuscino e seguì la punta del mio indice. Restò qualche istante a fissare il fondo della stanza, quindi lentamente si alzò e andò verso il grande armadio bianco a muro. Lo indicò con aria interrogativa, io alzai appena la testa e annuii.

«Sì, lì.»

Lui aprì un'anta, guardò un attimo all'interno e ci sparì dentro.

La mattina mi svegliai molto riposata, come non mi accadeva da mesi. Feci una doccia lunga e gustosa, poi, ancora in accappatoio, andai a prepararmi una bella macedonia. Pensai di prepararne due e, prima di vestirmi, ne portai una al mio ospite. Era seduto con le gambe piegate sopra i cassetti della biancheria, sotto le camicie appese, nella sezione dell'armadio più vicina al muro.

«Buongiorno» salutai.

Lui sorrise e annuì.

«Ti ho preparato una macedonia» dissi.

Afferrò la coppetta piena di frutta, uscì dall'armadio e si mise a mangiare seduto sul letto. Io intanto mi finii di asciugare e mi truccai e infilai un tailleur chiaro che non indossavo da un sacco di tempo.

«Io vado al lavoro» dissi. «Tu, se vuoi, resta pure.»

Lui annuì e sorrise ancora. Era molto tenero, lì seduto nudo sul letto, e prima di uscire gli mollai un bel bacio sulla fronte, sostenendo con una mano il mento.

La sera, quando rientrai, la casa era perfettamente pulita e in ordine. Pensandoci bene, non ricordavo di averla mai vista così pulita e in ordine. Il parquet del pavimento e il tappeto del soggiorno parevano lucidati e sbattuti, i libri e i ninnoli sulle librerie spolverati, le riviste sul tavolino riordinate e stese a scaletta una sull'altra. C'era anche un delizioso odore di fresco che non credevo potesse più appartenere a quelle mura. Mi avviai come imbambolata fino in cucina. Anche lì era tutto tirato perfettamente a lucido, l'acquaio e i fornelli scintillanti come nelle pubblicità, il piano bianco perfettamente candido perfino negli angoli, dove aveva leggermente ceduto e si era aperta una minuscola fessura e dovevi togliere le briciole con la punta di un coltello affilato. L'ultima volta che lo avevo fatto ero in preda a un accesso ed era stato l'unico modo per permettere ai tranquillanti di fare effetto. Anche il tostapane luccicava, e ne erano state tolte le briciole all'interno. Al centro del tavolo della cucina era posato un cestino colmo di frutta: mele, pere, banane, kiwi e pure un bel mango arrivato da chissà dove. Lentamente, sovrappensiero, aprii il frigorifero. Fui investita da una nuvola di odori. Non ricordavo di aver mai visto il mio frigo tanto pieno e organizzato e variopinto. C'erano cesti di insalata, peperoni, pacchetti di alluminio luccicante, bottiglie di vetro trasparenti piene di latte e succhi di frutta.

Lasciai la borsa sul tavolo, il cappotto su una sedia, e mi avviai verso la stanza da letto. Le lenzuola erano state cambiate e i miei vestiti smessi piegati ordinatamente e impilati sulla poltroncina nell'angolo. Arrivai fino alle ultime due ante dell'armadio a muro. Prima di aprirle mi fermai e sentii sopraggiungere un chiaro momento di commozione: avrei tra un istante aperto l'armadio e l'avrei trovato vuoto e tutto si sarebbe dissolto come un incantesimo. Dunque, sospirai e scostai le ante. Lui era lì, vestito, le gambe piegate e le mani sulle ginocchia, che sorrideva. Fui presa da un refolo di felicità e gli afferrai la testa e me la schiacciai contro il petto e gli mollai una serie di baci. Lo feci quindi uscire dall'armadio e lo spogliai continuando a coprirlo di baci e facemmo di nuovo l'amore. Questa volta lo lasciai anche stare sopra e lo invitai a tenermi bene le gambe in alto.

In mia assenza, lui si era divertito a preparare delle lasagne. Le scaldammo e le mangiammo direttamente dalla teglia, seduti al tavolo della cucina, sorseggiando del vino dalla bottiglia, nudi.

Iniziò così, quel fantastico periodo. Lui, di solito, dormiva nell'armadio. Io mi alzavo e gli davo un bacio e me ne andavo al lavoro.

La sera, quando tornavo, la casa era sempre tirata a specchio, e lui aveva preparato qualche delizioso piatto per la cena. Era un ottimo cuoco, pieno di idee ed equilibrio. Alle macedonie continuavo a pensare io: lui aveva capito di non provarci nemmeno, e si era limitato a farmi trovare della frutta sempre fresca.

Stavamo soprattutto in casa. Se però il tempo era buono e l'aria si intiepidiva, ce ne andavamo a spasso per la città. Mi piaceva stare attaccata al suo braccio, e qualche volta mi ci appendevo tentando di farlo cadere e ridevamo. Mi piaceva farmi vedere a braccetto di quell'uomo bello e possente. Mi pareva che fossimo molto gradevoli da vedere insieme, io così minuta e lui così grande. Parlavo parecchio, lui no, ma credevo che preferisse così e non lo spingevo. Per la prima volta mi sembrò anche di capire cosa intendesse chi affermava che il vero luogo d'intesa di due persone era il silenzio. Non l'avevo mai granché capita, questa cosa, né ovviamente condivisa. A me il silenzio più che altro spaventava. Soprattutto perché, in fin dei conti, non era mai silenzio. Era semplicemente un'assenza di suoni dominanti, e tutto ciò che restava era una moltitudine di sussurri e bisbigli che facevo molta fatica a distinguere, e che assomigliavano sempre a orde di mani che mi tiravano in stanze buie. Ne avevamo parlato molto, con la dottoressa Pasini. Parlato... lei di solito stava zitta e mi guardava da dietro i suoi improbabili occhiali viola. Un giorno, dopo aver pianto, mentre finivo di soffiarmi il naso, dissi proprio così, scocciata: «Ma le pare silenzio, questo?». Le confessai che se mai avessi ritrovato il coraggio di viaggiare, la mia prima meta sarebbe stata il deserto: lì sì che avrei sentito il silenzio, e avrei capito una volta per tutte se era davvero lui a spaventarmi e non quell'esercito di spettri che lo abitavano dalle nostre parti.

Come poteva dunque, il silenzio, essere il luogo riparato di una coppia? Con Marco, avevo provato a farci attenzione: lui leggeva una rivista, o il giornale, io sedevo su una poltrona a far finta di baloccarmi con qualcosa, e lo osservavo, o più precisamente osservavo il silenzio sospeso nella stanza. Era come una spessa trapunta imbottita e polverosa che ci gravava sulle spalle. Immancabilmente, Marco alzava lo sguardo.

«Allora?» diceva infine.

«Allora che?»

«Boh, così.»

«Allora, nulla.»

Lui annuiva.

«Che facciamo?» domandava poi dopo un altro mezzo minuto, voltando distrattamente una pagina della sua rivista.

«Mah, niente. Stiamo qui.»

«A far che?»

«Boh, niente. In silenzio.»

Lui allora, dopo qualche altro secondo, chiudeva la rivista e diceva qualcosa tipo: «Tesoro, è sabato pomeriggio. Se dovevamo stare qui a non dirci niente potevo andare a giocare a pallone con i miei amici. Andiamo almeno a fare un giro».

Così ci chiudevamo in macchina e io riprovavo a osservare il silenzio e lui si innervosiva e mi innervosivo anche io e gli domandavo perché secondo lui non riuscivamo a stare in silenzio e lui mi domandava perché invece non riuscivamo a parlare come persone normali e ci mettevamo a discutere e poi a casa facevamo un po' di sesso riparatore e di solito finivamo a vederci un film al cinema.

Con lui invece era diverso. Quando non era nell'armadio, se ne stava lì con me in soggiorno, o sul letto, per ore, senza dire nulla. Semplicemente, lo trovavo irrilevante. Il silenzio, intendo: stavamo zitti, tutto lì, immagino perché non avevamo al momento niente di importante da dirci. Che c'era di tanto speciale? Io non stavo bene in sua compagnia perché sapevamo stare in silenzio, io stavo bene con lui perché era bello e mi ascoltava e aveva un ottimo odore e aveva dei bellissimi deltoidi e una lingua molto morbida e perché il suo sesso calzava perfettamente il mio. Casomai il suo silenzio non mi infastidiva, e questo in effetti era molto rilassante.

Mi accorsi presto che le persone faticavano un po' a comprendere questa nostra situazione. Per qualche tempo preferii non farne cenno con nessuno, poi, una sera dopo cena, sedute al tavolo di cucina a chiacchierare, ne parlai con Marta. Lei parve molto sorpresa.

«Ma perché non mi hai detto niente?»

«Non so.» Alzai le spalle. «Sembrava una cosa delicata, e avevo paura di sciuparla.»

«Ma da quant'è che va avanti?»

Era una buona domanda: mi resi conto che facevo fatica a dirlo. Era ormai primavera inoltrata, dunque dovevano essere mesi, ma non sembrava così tanto.

«Non saprei. Due o tre mesi, forse.»

«Non *saprei*?»

«Sì, non sono sicura. Sembra poco ma mi sa che sono già due o tre mesi.»

«Ma è bellissimo!» Marta batté le mani come una bambina e affettò una risata. «Non si ricorda nemmeno quand'è cominciato!»

Sentii una punta di imbarazzo e mi domandai se avevo fatto bene a dirglielo.

«Voglio sapere tutto» proseguì Marta eccitata. «Ti ricordi almeno dove vi siete incontrati?»

«Certo, qui sotto.»

«Qui sotto dove?»

«Sul ponte. Ero andata a fare una passeggiata e tornando l'ho visto lì che guardava la corrente e mi sono fermata anche io e ci siamo messi a parlare. Cioè, *io* più che altro mi sono messa a parlare.»

«E poi?»

«E poi nulla.»

«Come, nulla? Quando vi siete rivisti?»

«Non ci siamo rivisti. Siamo andati a bere una cosa all'Osteria.»

Marta sorrise e mi guardò di traverso con aria maliziosa.

«Non ci posso credere.»

«Che cosa?»

«Te lo sei portato a casa subito quella sera.»

Appallottolai un pezzetto di tovagliolo e annuii accennando un sorriso. Marta rise e batté di nuovo le mani.

«E come è stato?»

«Bello.»

«E lui com'è?»

«È una persona molto pacata.»

«Ma che me ne frega se è una persona pacata o no... è bello?»

«Molto» anuii.

«Descrivere.»

«È alto, spalle larghe, moro e con gli occhi molto scuri e una splendida linea del mento.»

«E come ce l'ha, grosso?»

Appallottolai il resto del tovagliolo e glielo tirai. Lei si scansò e rise di nuovo e batté le mani e disse che era fantastico.

«Ma che fa?» domandò poi.

«Niente di che, fa un po' quello che fanno tutti.»

«Nella vita, intendo.»

«Ah, boh, non parliamo mai di lavoro. Non credo però granché, ha molto tempo libero.»

«E te che ne sai che ha molto tempo libero? Vi vedete anche di giorno?»

«No, ma quando torno, la sera, la casa è sempre perfetta e ha preparato la cena.»

«Ha fatto cosa?»

«Ha preparato la cena. Il pollo al curry l'ha fatto lui.»

Marta gettò un momento lo sguardo verso i piatti sporchi accanto all'acquaio, poi si soffermò sulla ciotolina vuota della macedonia che le stava sotto il mento, ne afferrò un bordo con due dita e la sollevò leggermente verso di me.

«Anche...»

«Ma sei pazza?»

«Ah, menomale.»

Lei riabbassò la ciotolina e restò qualche istante in silenzio.

«Quindi, fammi capire: gli hai già dato un mazzo di chiavi?»

«Certo, poverino, sennò se vuole uscire come fa?»
«Uscire?»
«Eh, uscire.»
«Uscire da dove, scusa?»
«Come da dove, da casa.»
«Cioè lui sta qui?»
«Sì, scusami, non te l'avevo detto.»
Marta mi fissò perplessa.
«E ora dov'è?»
«Di là.»
«Cioè è qui in casa?»
«Sì, certo. È di là.»
«E che fa di là?»
«Boh, si fa i fatti suoi, immagino.»
«Ma perché non me lo hai detto?»
«Perché era un po' che non ci vedevamo e pensavo volessimo stare per conto nostro.»
«Ma di là dove?»
«In camera.»
«Ma se sono andata prima in bagno e non c'era nessuno.»
«Sì, è nell'armadio.»
Marta mi fissò a lungo con l'aria imbambolata e la bocca dischiusa. Infine aggrottò lievemente le sopracciglia e la fronte.
«Come hai detto?»
Cominciavo a spazientirmi. Detestavo questo vizio di Marta di richiedere continuamente cose che aveva capito benissimo.
«Ho detto che è di là, Marta, nell'armadio.»
«Ma in che senso nell'armadio, scusa?»
«Quanti sensi ci devono essere?»
«Ma tu non hai una cabina armadio.»
«E chi ha parlato di una cabina armadio? Ho solo detto che sta nell'armadio, in camera.»
«L'armadio a muro?»

«Eh, l'armadio a muro. L'unico armadio che c'è. Vai a vedere, se vuoi. Non gli dai fastidio.»

Marta mi fissò di nuovo, quindi si alzò e lentamente si avviò verso la stanza da letto. La sentii aprire un paio di ante dell'armadio, poi un momento di silenzio.

«Buonasera» le sentii dire.

Udii dunque richiudersi l'anta dell'armadio e dei passi ancora più lenti tornare verso la cucina. Marta si lasciò cadere sulla sedia e riprese a fissarmi con aria sbalordita, forse pure un po' turbata. Io alzai le sopracciglia e accennai un sorriso.

Marta scosse la testa.

«Be', che c'è?»

«Ma scusa, ti sembra una cosa normale?»

«Normale? Che vuol dire normale?»

«Normale vuol dire normale.»

«Ma che ne so? È normale per noi.»

«Ma mi dici che ci fa lui nell'armadio?»

«Che ne so. Nulla ci fa. Sta lì e basta.»

«Di sua volontà?»

Ci pensai un momento.

«Oddio, proprio di sua volontà non lo so. Gliel'ho chiesto e lui l'ha fatto. Tutto qui. Non si è mai lamentato. Anzi, spesso ci torna per conto suo.»

«Ferma un momento, voglio capire com'è che glielo hai chiesto.»

«Non c'è granché da capire: la sera che ci siamo incontrati, appena prima di addormentarmi, gli ho detto che se voleva poteva restare, e mentre lo dicevo mi sono immaginata di alzarmi il mattino dopo e di trovarlo nell'armadio. Così, già mezza nel dormiveglia, gli ho indicato l'armadio e gli ho detto che poteva stare lì. Lui s'è alzato e si è infilato nell'armadio. Fine.»

«E ti sembra una cosa normale.»

«Oddio, ma cos'è oggi con questa storia del normale? Che ne so se è normale? È normale allora che Stefano tutti i giovedì che Dio manda in terra debba uscire solo con i suoi amici e che se per caso becca te e le tue amiche nello stesso locale succede un finimondo? È normale che Lucrezia tutte le volte che esce a cena da sola con suo marito poi debba per forza fare del sesso, come se dovesse rendergli i soldi? È normale che lei te lo racconti ridendo e che le faccia quasi tenerezza e non si senta invece una battona? Son cose che sono così e basta. *Funzionano*. Che ci frega se sono normali o no? Chi l'ha detto poi cos'è normale e cosa no?»

Marta mi fissò e dopo qualche istante accennò un sorriso.

«E quindi lui sta nell'armadio.»

«Già» sorrisi anche io. «Non è fantastico?»

«Ma ci sta tanto?»

«Sempre meno, a dire il vero. È buffo: è come se sapesse quando starci e quando no. La notte, soprattutto. Ci sono notti in cui vorrei stare rannicchiata contro di lui tutta la vita, altre in cui invece non faccio altro che cercare le zone più fresche delle lenzuola. È come se lui lo capisse, e la mattina, quando mi capita di sentire il letto vuoto, ho sempre quella splendida punta di rimorso che mi fa correre all'armadio a sbaciucchiarmelo un po'.»

Marta ci pensò un attimo su.

«Quindi, ricapitolando: hai un fusto di un metro e novanta che parla poco, cucina, ti rimette a posto la casa e quando non lo vuoi tra i piedi sparisce in un armadio.»

«Sì, direi che più o meno è così.»

«Be', tesoro, che ti devo dire?»

La dottoressa Pasini non sembrava molto colpita dalla mia storia. In uno dei rarissimi momenti in cui, come un oracolo, proferiva parola, mi domandò se avevo più avuto degli accessi, e se ne avessi mai avuti con lui. Ero un po' in imbarazzo, come se avessi fatto qualcosa che non dovevo, e le confessai che sì, mi era capitato, ma solo una volta. La dottoressa Pasini era rimasta impassibile. Le dissi che era successo una sera rientrando in casa, dopo essere stati a fare un po' di spesa al mercato. Ripensandoci, avevo sentito una corrente acida invadermi l'umore già mentre stavamo in strada. Le persone non mi piacevano granché e stavo molto attenta a dove mettevo i piedi. Rientrati in casa, mi ero bloccata. Lui era andato ad appendere la sua giacca all'attaccapanni. Mi era sfilato alle spalle passando pericolosamente vicino all'angolo del cassettone dell'ingresso. Si era chinato verso il tavolo del soggiorno ad appoggiare due riviste: il suo piede era passato a un centimetro dalla gamba della poltrona, il suo stinco, voltandosi, aveva sfiorato l'angolo del tavolino. Era tutto talmente possibile. Noi, tutti noi, talmente esposti. Lui sarebbe andato di là con il sacchetto del mercato, si sarebbe messo a svuotarlo, avrebbe aperto porte, sfiorato ostacoli, avrebbe impugnato coltelli, lame affilate, punte acuminate. Il sangue, il dolore, tutto il dolore del mondo, tutta questa fatica solo lì per essere dissipata in un nonnulla.

Mi aveva visto. Si era voltato per andare verso la cucina, si era credo domandato perché fossi ancora ferma davanti all'ingresso e aveva capito. Mi doveva aver visto pallida e lontana. Avevo anche molta voglia di piangere. Era passato del tempo, ormai, e ogni volta che non capitava da un po' mi veniva l'illusione che potesse non capitare più. La dottoressa diceva che era normale, eppure mentre sentivo quella marea oscura e appiccicosa salire e avvolgere tutto, quegli spigoli protrarsi come lame, non facevo altro che sentire il retro della mia testa mugolare tre sole parole: "Non di nuovo, non di nuovo, non di nuovo". Marco non capiva: quando proprio non poteva farne a meno, mi dava una mano a prendere i tranquillanti, e scuoteva molto la testa. Lui aveva mollato subito il sacchetto sul divano, mi era venuto vicino, mi aveva abbracciato, mi aveva tenuta stretta e con molta calma mi aveva portato verso la stanza da letto. Mentre camminavamo, lentamente, gli avevo spiegato dove poteva trovare le pillole. Lui non aveva risposto, e non erano servite: mi aveva sdraiata semplicemente sul letto ed era rimasto lì con me, e tutto si era fermato. Non era passato subito, ma non aveva nemmeno preso a rotolare giù per la collina come una valanga, travolgendo tutto ciò che incontrava. Era solo stato come svegliarsi da un brutto sogno, una sgradevole sensazione che lentamente svanisce, e il cuore che riprende pian piano il suo ritmo. Per cena mi aveva preparato un bel wok di pollo e verdure. La dottoressa Pasini, per la prima volta da quando ci conoscevamo, abbassò impercettibilmente la testa, mi parve un segno di approvazione.

Andammo pure a una cena. Avevo preso a ricevere telefonate in cui mi si chiedevano notizie di questo mio nuovo misterioso fidanzato. Domandavo sempre accennando una risata cosa Marta avesse detto e mi divertivo ad ascoltare i loro vaghi "niente di che" e "solo che è un bel tipo". Sapevo bene che mentivano e che Marta, la sera in cui lo aveva conosciuto, non sarebbe nemmeno riuscita ad arrivare alla macchina senza chiamare qualcuno e raccontare tutto e liberarsi fin da subito di quel macigno che le gravava addosso e rischiava di spezzarle le ginocchia. Sapevo, nel momento stesso in cui dicevo tutto a Marta, che questo avrebbe presto significato dover mostrare il mio uomo e avventurarci nel mondo. Sapevo anche, in qualche modo, di non avere il coraggio di farlo per conto mio, di non essere in grado di mollare l'isola felice e protetta che era la nostra storia. Era per questo che avevo inconsapevolmente scelto Marta per confessare tutto: una parte di me aveva deciso di andare avanti e l'incapacità di Marta di tenersi un cecio in bocca mi avrebbe obbligato a farlo.

Sorprendentemente, quando gli dissi che dei miei amici ci avevano invitati a cena, lui sembrò molto contento. Fu come andare a un esame. Ci avevano invitati Giorgia e Dario, insieme a Marta e un'altra coppia di loro amici. Prima di uscire, cambiai quattro volte gli abiti e cinque il colore del rossetto, per tornare alla fine al leggero pesca lucido che avevo provato per primo, ma pentendomene non appena mi scorsi nello specchietto del taxi. Feci cambiare tre volte pure lui. Gli avevo detto di vestirsi elegante, ma non troppo, e lui correttamente aveva indossato un bell'abito grigio, senza però la cravatta. Apparve nello specchio del bagno mentre mettevo il rimmel. Abbassai la mano e allontanai leggermente il volto dallo specchio e lo osservai qualche secondo. Scossi dunque la testa.

«Troppo» dissi.

Lui sparì in camera.

«Sei molto bello, però!» gridai riavvicinando il volto allo specchio e lo spazzolino del mascara alla palpebra, credendo di essere stata un po' troppo brusca.

Riapparve nello specchio qualche minuto più tardi, mentre io valutavo il secondo rossetto. Adesso indossava un paio di jeans e una Lacoste blu con cui non lo avevo mai visto ma che in effetti gli donava molto. Lo scrutai mentre sfregavo un labbro sull'altro.

«Carino, molto carino. Troppo sportivo, però. Magari una via di mezzo.»

Lui ridacchiò e sparì di nuovo, io rilasciai le labbra e mi guardai bene nello specchio. Ero entusiasta del color vinaccia di quel rossetto, quando lo avevo comprato, e anche della sua consistenza. Fin dalla prima volta, quando la commessa di quel centro commerciale me l'aveva fatto provare, mi era parso di sentire sulle labbra la carezza di un neonato. Poi, a casa, ogni volta che lo mettevo, aveva qualcosa di presuntuoso. Pareva essere lì sulle mie labbra apposta per attrarre complimenti e finiva per mettermi a disagio. Purtroppo, le due volte che mi ero sforzata e avevo deciso di tenerlo addosso, era in effetti finita che tutti non vedevano altro che quello e si era parlato di rossetti tutta la sera, o almeno fino a quando non era sbiadito e avevo deciso di non rimetterlo.

Quando lui ricomparve nello specchio ero al quarto tentativo di colore e avevo già deciso di lavare via quell'improbabile rosso acceso e tornare alla prima scelta. Questa volta indossava la camicia bianca che aveva provato con l'abito, ma senza giacca e incalzata nei jeans di poco prima. Mi alzai sulle punte dei piedi per scorgergli le scarpe. Ne indossava un bel paio di pelle color noce, allacciate. Non sapevo dove le prendesse, ma era pieno di belle scarpe.

«Perfetto» dissi.

Sul taxi, poco dopo, ero molto agitata.

«Lo sapevo» scossi la testa quando mi vidi nello specchietto. «Non dovevo mettere questo rossetto, è orrendo.»

Lui mi guardò e abbozzò di nuovo una risata, poi mi prese la mano, me la strinse leggermente e la tenne nella sua, appoggiata al sedile del taxi. Dunque si voltò e prese a guardare in silenzio fuori dal finestrino.

Quando aprì la porta, Giorgia saltellò come una ragazzina.

«Eccoli!» gridò. «Ed ecco finalmente l'uomo del mistero. Vieni subito qui a farti dare due baci» se lo tirò contro, «e fatti guardare per bene.»

Dopo avergli mollato due baci sulle guance lo riallontanò tenendolo per le spalle e lo scrutò da capo a piedi, poi si voltò verso di me e abbassò vistosamente i lati della bocca.

«Accipicchia, tesoro, che pezzo d'uomo. Se è vero che l'hai trovato su un ponte, metti un cero alla Madonna perché questo è come un tris alle corse» rise infine, poi ci prese tutti e due sottobraccio e ci portò in salotto. «Su, signori, in piedi a salutare i nostri ospiti!»

Dario e Marta e l'altra coppia di amici che non conoscevo si alzarono tutti dai divani con un bicchiere in mano e ci vennero incontro. Marta questa volta salutò lui con due bei baci e ammiccando un silenzioso "noi già ci conosciamo", Dario gli strinse solennemente la mano e disse che aveva sentito su di lui un sacco di belle cose.

L'altra coppia era piuttosto stravagante: erano entrambi molto coloriti, lui aveva una vistosa cravatta a pois e dei buffi pantaloni viola, lei degli accesi capelli arancioni e un lungo vestito azzurro apparentemente eccessivo ma che invece portava con gran naturalezza. Venne fuori che dopo ben vent'anni di relazione si erano da poco sposati ed erano appena tornati da un lungo viaggio di nozze in Tanzania e Madagascar. Dissero ridendo, seduti abbracciati sul divano, che era l'unico modo per convincersi a fare il viaggio che sognavano da anni senza mai riuscire a trovare la scusa e il tempo per andare. Non appena potevano, continuarono ridendo, avrebbero iniziato le pratiche per il divorzio: c'erano ancora un sacco di posti dove volevano andare e progettavano almeno tre o quattro matrimoni.

Lui fu trascinato subito da Dario verso uno dei divani, insieme alla nuova coppia, e io rimasi bloccata tra Marta e Giorgia. Mentre Giorgia mi faceva sedere vicino a lei e mi diceva che era troppo che non ci vedevamo e che le dovevo raccontare di tutto quello che mi era capitato in quei mesi, osservavo lui dall'altra parte del tavolino di vetro coperto di libri d'arte e mi dicevo che era la prima volta che lo condividevo con qualcuno. Era seduto nel posto più esterno del divano, aveva Dario da una parte, perpendicolare, su una poltrona, e l'altra coppia alla sua sinistra, seduti entrambi un po' di sbieco per essere meglio a suo favore. Conversavano tra loro e si raccontavano cose e lui annuiva o abbassava i lati della bocca o rideva. Sembrava molto a suo agio e di tanto in tanto mi guardava e sorrideva. Ero improvvisamente molto gelosa. Visto così, da una parte all'altra di un salotto, immerso in quella marea inarrestabile che sono le chiacchiere e i tormenti della gente, pareva un'isola sconosciuta e felice dove chiunque avrebbe voluto riparare. Ma era la *mia* isola felice. Che ci facevano d'un tratto quelle barche all'ancora, nella baia, e quel fuoco acceso sulla spiaggia? Era estremamente fastidioso, ma per buona parte della serata riuscii a tollerarlo. Dopo cena, però, mentre gli altri uomini erano in terrazza a fumarsi una sigaretta e lui era incastrato da più di mezz'ora da Giorgia in un angolo del divano, decisi che era troppo, abbandonai Marta e la signora con il vestito azzurro e li raggiunsi. Gli sedetti accanto e gli poggiai una mano sulla gamba. Lui mi sorrise, mi circondò con un braccio, mi tirò a sé dandomi un bacio sulla fronte e tornò a seguire Giorgia, che però si era fermata e ci fissava. Ebbe come un moto di malinconia.

«Siete splendidi» disse, poi mi fissò e accennò un sorriso. «Tesoro, hai trovato un uomo davvero fantastico.»

«Lo so» dissi incastrandomi meglio in lui, come se fosse un cuscino e stessi per addormentarmi. Mi resi conto che non gli avevo mai fatto un complimento. Giorgia tutt'a un tratto si alzò, e se un attimo dopo non l'avessi vista in terrazza che si accendeva una sigaretta, avrei creduto che fosse corsa in bagno a piangere. Io alzai gli occhi e lo guardai. Pensai che avevo voglia di dirgli delle cose, ma non ne feci di niente.

Ora che iniziava a fare più caldo, ci piaceva stare in soggiorno e tenere tutte le finestre spalancate. Le tende di lino quando saliva la brezza del tramonto svolazzavano in giro come i veli di una sposa. Si gonfiavano e ricadevano e parevano danzare. Mettevamo la musica. Sedevamo in terra, mezzi nudi, a fare qualche gioco. Monopoly, Scarabeo, un gioco di carte. All'inizio mi ero preoccupata che qualcuno potesse vederci dall'altra parte della strada, ma poi avevo deciso che non c'era nulla di male, e che eravamo belli, e che sarebbero stati invidiosi. Fu un pensiero che mi stupì molto: l'idea che qualcuno potesse essere invidioso di me. Era come sentirsi addosso un fascio di fotoni, un getto di luce che ti carica di energia. Non ero in una conca piena di individui in pericolo, ero in un luogo riparato con il mio uomo, a giocare, nudi, e nessuno poteva farmi niente di male.

Sennò uscivamo. Ripercorrevamo spesso il giro che avevo fatto prima di incontrarlo. Avevamo impiegato due o tre volte per ritrovarlo tutto, ma alla fine ce l'avevamo fatta. Io fantasticavo sull'infinità di minuscoli eventi che mi avrebbero potuto allontanare da lui. Mi domandavo dove sarei stata, senza di lui, e mi pareva di scivolare di nuovo in un luogo angusto e buio. Lui mi guardava giocare e ridere e dire: «Vieni, andiamo di qua, vediamo cosa sarebbe accaduto se quella sera fossi andata da questa parte». Ci immaginavamo allora cosa avrei fatto, chi avrei incontrato. Vedevo un altro uomo e dicevo che avrei magari attaccato bottone con quello là. Lui rideva. Continuavo ad attaccarmi al suo braccio. Di tanto in tanto alzavo i piedi e mi ci appendevo. Sembrava di attaccarsi al ramo di un albero, non cedeva di un centimetro, e ogni volta pensavo che sarei voluta stare appesa lì tutta la vita e che era straordinariamente eccitante e mi prendeva una gran voglia di andare a casa e fare l'amore.

Una sera, rientrando, incontrammo Marco. Era lì, da una parte, seduto su un muretto.

«Allora è vero» disse con l'aria triste ma dura.

«Vero che?»

Si alzò e ci venne incontro.

«Che stai con un altro» disse indicando lui con il mento ma senza guardarlo, con l'aria sempre più dura.

«E allora?» scossi la testa io.

«E allora me lo potevi dire.»

Ormai Marco era molto vicino, ad appena un passo da me, e mi guardava in cagnesco dritta negli occhi.

«E perché?»

«Perché avevamo deciso che ci saremmo presi una pausa e poi avremmo riparlato.»

«Si vede che non avevo niente da dire.»

«Non fare la simpatica.»

«Non sto facendo la simpatica, sto dicendo come stanno le cose.»

Marco mi fissò a lungo senza dire niente, con i muscoli della mascella induriti, poi girò la testa e guardò lui per qualche istante.

«E chi è?»

«Che ti frega?»

«Smettila. Dimmi chi è.»

«È qui, chiedilo a lui chi è.»

«Non voglio chiederlo a lui. Lui non esiste. Lo voglio sapere da te.»

«Oh, eccome se esiste, Marco. Esiste più di quanto tu immagini.»

«No, lo sai bene che non esiste e che questa è tutta una ripicca.»

«Una ripicca?» Scoppiai a ridere. «Una ripicca per cosa, scusa?»

«Perché ho suggerito di prenderci una pausa.»

Risi di nuovo.

«Marco, mi dispiace dirtelo, ma sono entusiasta della tua idea. Anzi, ti ringrazio. Sono talmente contenta di questa pausa, che quasi quasi ci resto, in pausa.»

«Smettila, lo sai che non lo pensi.»

«Oh, sì che lo penso. Sono felice, Marco. Davvero, non ti devi preoccupare.»

«Smetti di fare così e andiamo un po' a parlare.»

«Non ho niente da dirti.»

«Io sì.»

«Non mi interessa.»

«Smettila, andiamo a parlare.»

Io fui presa da un momento di frustrazione, poi mi dissi di calmarmi, strinsi il braccio di lui, me lo tirai dietro e mi voltai.

«Addio, Marco. Ti auguro ogni bene.»

Mentre facevo qualche passo e infilavo la mano in tasca per prendere le chiavi, sentii afferrarmi il braccio.

«Falla finita» disse ancora Marco cercando di voltarmi con la forza.

«Non mi toccare» dissi sganciandomi dalla sua presa.

Marco provò a riafferrarmi, ma lui fu più svelto e riuscì a stringergli l'avambraccio e lo fissò serio e fece segno di no con la testa.

«E tu che vuoi? Eh? Chi sei te?»

Marco si liberò goffamente dalla presa e gli diede una gran botta al braccio.

«E butta giù le mani.»

Lui gli diede un pugno. Secco, sulla punta mento. Le ginocchia di Marco cedettero come cerniere. Si ritrovò a sedere, stordito. Per un attimo, provai una punta di pietà.

«Così impari» dissi piano. Poi spinsi lui via e ci avviammo verso il portone.

Qualche tempo più tardi, tornando dal lavoro, trovai la casa più pulita e ordinata e profumata del solito. Il sole del tardo pomeriggio filtrava attraverso i vetri come in una casa di campagna. C'era qualcosa di insolito, tuttavia. La casa sembrava troppo ordinata. Sembrava vuota. Posai lentamente la borsa su una poltrona e sentii lo stomaco aggrovigliarsi, il cuore prendere a battere all'impazzata. Le immagini nella mia testa continuavano a correre al momento in cui ci eravamo incontrati, sul ponte, e a tutti i momenti passati insieme in quei mesi. Lo sentivo, se n'era andato. Era tornato da dove era venuto, qualunque luogo fosse. Avrebbe reso felice un'altra donna, un'altra vita. Forse era questo che faceva: vagava nel mondo prendendosi cura di donne infelici. Adesso sarei andata di là, avrei aperto l'armadio e l'avrei trovato vuoto. Un paio di camicette appese, come bandiere sbrindellate e flosce dopo una battaglia. Volevo vomitare, avevo freddo. Arrancai fino alla cucina e aprii il frigo e raccolsi la bottiglia dell'acqua e ne buttai giù di fretta qualche sorso. Sentivo un'eruzione di pianto pronta a esplodere, e mentre aprivo gli occhi e mentre mi domandavo dove lasciarla sfogare, notai sul tavolino della cucina uno stretto singolo vaso a stelo con infilata dentro una rosa. Non riuscii più a trattenermi. E mentre piangevo sentivo tremare ogni angolo del mio corpo, i miei muri interni e tutte le mie difese cedere come listelli di cristallo, accartocciarsi e ammucchiarsi gli uni sugli altri suonando come barre di uno xilofono.

Quando mi ripresi, bevvi un altro sorso d'acqua, mi asciugai alla meglio gli occhi, mi avviai verso la stanza da letto e una volta davanti all'armadio, tirato un ultimo sospiro, lo aprii. Niente. Magliette piegate e camicie appese.

Guardai sotto il letto, in tutte le altre ante dell'armadio. Mentre non riuscivo a ingoiare quel fastidioso nodo alla gola, guardai in bagno, dietro la tenda, nell'armadio dei cappotti, nell'armadietto della dispensa. Guardai nello sportello del soppalco e nell'altra stanza, sotto il letto degli ospiti e infine nello sgabuzzino delle scope. Stavo quasi per richiudere, quando udii qualcosa. Lui era lì, nascosto nell'angolo, dietro le scope e gli stracci appesi e con davanti uno scatolone piegato. Cercava di trattenere delle risate senza riuscirci. Urlai e lo tirai fuori e presi a picchiarlo e poi a ridere anche io e avevo voglia di piangere di nuovo ma continuavo a ripetermi di non farlo.

Iniziò così una nuova fase della nostra vita, quella del nascondersi. E del ritrovarsi. Era molto divertente.

Ringraziamenti

Questa raccolta non esisterebbe senza il prezioso aiuto di una serie di persone. Prima tra tutte mia moglie, Louisa, che ha in parte dato vita ad almeno due dei racconti e nel frattempo anche a nostro figlio. E che, per mia fortuna, ha molto senso dell'umorismo.

Poi – mio malgrado rimando questo da tempo – un immenso grazie a Francesca: l'amica, l'avvocato e la prima malcapitata destinataria dei miei dubbi. Molta della mia residua inclinazione a pubblicare storie è causa sua. Se dunque, terminato questo libro, pensate di aver sciupato i vostri soldi, prendetevela con lei.

Un grandissimo grazie anche a Marco Mochi, Mario Puccioni, Erik Tonni: avvocato penalista, psicoterapeuta, ricercatore di fisica presso la Scuola Superiore di Studi Avanzati di Trieste. Per il tempo che mi hanno dedicato e per le loro utilissime osservazioni. Indirettamente, anche un grazie al professor Franco Cordero, per il suo magnifico testo.

Infine, un grazie a Margherita, per il suo attento lavoro, e soprattutto ai miei editori, Antonio e Giulia, che sono ancora abbastanza incoscienti da pubblicare strampalati racconti come questi.

Indice

Mondadori Libri S.p.A.

Questo volume è stato stampato
presso ELCOGRAF S.p.A.
Stabilimento - Cles (TN)

Stampato in Italia - Printed in Italy